A HISTÓRIA DO SÉCULO 20
PARA QUEM TEM PRESSA

COLEÇÃO
HISTÓRIA
PARA QUEM TEM PRESSA

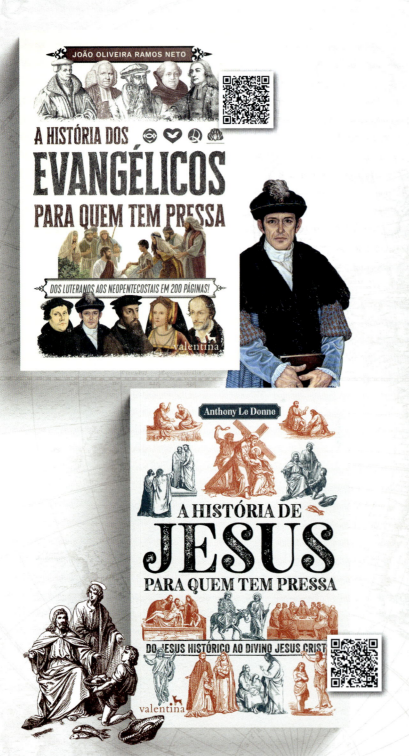
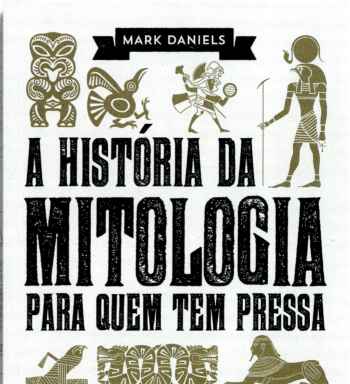

NICOLA CHALTON & MEREDITH MacARDLE

A HISTÓRIA DO SÉCULO 20 PARA QUEM TEM PRESSA

Tradução
PAULO AFONSO

valentina

Rio de Janeiro, 2023
3ª edição

Copyright © 2016 *by* Nicola Chalton & Meredith MacArdle

TÍTULO ORIGINAL
The 20th Century in Bite-Sized Chunks

CAPA
Sérgio Campante

DIAGRAMAÇÃO
Kátia Regina Silva

Impresso no Brasil
Printed in Brazil
2023

CIP-BRASIL. CATALOGAÇÃO NA PUBLICAÇÃO
SINDICATO NACIONAL DOS EDITORES DE LIVROS, RJ

C426h
3. ed.

Chalton, Nicola
    A história do século 20 para quem tem pressa / Nicola Chalton, Meredith
MacArdle; tradução Paulo Afonso. – 3. ed. – Rio de Janeiro: Valentina, 2023.
200p. il. ; 21 cm.

    Tradução de: The 20th century in bite-sized chunks
    ISBN 978-85-5889-052-6

    1. História moderna – Séc. XX. I. MacArdle, Meredith. II. Afonso, Paulo.
III. Título.

17-45097

CDD: 909.82
CDU: 94(100)

Todos os livros da Editora Valentina estão em conformidade com
o novo Acordo Ortográfico da Língua Portuguesa.

Todos os direitos desta edição reservados à

EDITORA VALENTINA
Rua Santa Clara 50/1107 – Copacabana
Rio de Janeiro – 22041-012
Tel/Fax: (21) 3208-8777

A meu pai, que nos encorajou, inspirou
e guiou na criação deste livro;
e em memória da minha querida mãe,
que tanto me ajudou.

Nicola Chalton

SUMÁRIO

LISTA DE MAPAS 11

INTRODUÇÃO 13

CAPÍTULO UM ● A Transfiguração do Velho Mundo 15
A Europa Flexiona os Músculos 16 Disputa pela África 17
Rule, Britannia! 18 Esplêndido Isolamento, Nunca Mais 21
A China Imperial se Desintegra 22 Um Novo Mundo Móvel
e Consumista 23 A Era Dourada 25 Trabalhadores,
Uni-vos! 25 Estrondos na Rússia 27 Revoltas Populares se
Alastram 30 Revolução nas Artes e nas Ciências 31
O Nacionalismo Dita o Curso da História 32

CAPÍTULO DOIS ● A Guerra para Acabar com Todas as Guerras 33
Confluindo para a Guerra 34 O Mundo É um Barril de
Pólvora 35 Uma Guerra Incontrolável 37 Os Dois Campos 38
Seu País Precisa de Você! 40 A Frente Ocidental 41 Os Campos
de Flandres 42 Frente Oriental e Frente Sul 43 Insucesso em
Galípoli 45 Revolta Árabe 45 *Vive la France!* 46 O Pandemônio
se Instala 46 Guerra no Mar 47 Últimos Estertores 48 Guerra
em Escala Industrial 50

CAPÍTULO TRÊS ● Quando a Poeira Baixa 51
Amargo Regresso 52 Alemanha Humilhada 53 Casa de Habsburgo
em Ruínas 54 Colapso Otomano 55 A Turquia Renasce das
Cinzas 57 Rússia Radical 58 Punho de Ferro de Stalin 60
China Republicana 61 A China se Torna Vermelha 62 Sementes
de uma Superpotência 64 A Democracia num Sobe e Desce 66
A Cara Feia do Fascismo 67 A República de Weimar em Crise 69
A Ascensão do Nazismo 71

CAPÍTULO QUATRO ● **Guerra Total 74**

Preparação do Palco da Guerra 74 As Alianças Tomam Forma 75 *Blitzkrieg* 76 A Queda da França 76 A Guerra Secreta 78 A Batalha da Grã-Bretanha 79 Indo a Pique e Pondo a Pique 80 O Avanço Nazista É Congelado 82 Caçando a Raposa do Deserto 83 O Sol Nascente se Levanta 85 Ataque de Surpresa em Pearl Harbor 87 O Japão Busca um Império 87 Subjugando o Dragão Imperial 89 Assassinato como Solução Final 90 Operação Overlord 91 Ataques do Menininho e do Homem Gordo 92 O Desfecho 93

CAPÍTULO CINCO ● **O Apogeu da Metade do Século 94**

A Europa se Reconstrói 94 Um Mundo Minguante 96 Nunca a Coisa Foi Tão Boa 97 Prédios Altos e Subúrbios 98 A Queda 99 Lubrificando as Engrenagens Internacionais 99 Rugem os Tigres Asiáticos 100 A Europa se Une 101 Uma Comunidade Econômica Toma Forma 102 Uma Só Moeda, uma Só Fronteira 103 Choque Cultural 105 O Direito de Reunião 107 Democracia para Todos 108 O Apartheid Desmorona na África do Sul 109 Direitos Civis nos Estados do Sul 111 Os Direitos dos Aborígenes na Austrália 112 Direitos e Liberdades 112 A Mão Protetora do Estado 113 Uma Revolução Tranquila 114 Marcos da Medicina 115 Tratamento de Doenças Mentais na Própria Comunidade 116 Rumo à Miniaturização 116 Let's Twist: Mídia e Cultura Pop 117

CAPÍTULO SEIS ● **Fim do Colonialismo 120**

Passos Rumo à Descolonização 121 Índia Britânica em Crise 122 Saiam da Índia 124 Do Império à Commonwealth 126 Uma Linha Verde Divide Chipre 126 Armando o Palco para o Vietnã 128 Holandeses Despejados das Índias Orientais 130 Coração das Trevas 131 Vento Frio na África 132 Selvageria por Toda Parte 133 Ventos de Mudança 134 A Revolução dos Cravos 136 Êxodo Judeu 137 Yom Kippur e Camp David 140 Um Novo Imperialismo 141

CAPÍTULO SETE ● **O Fantasma da Guerra Fria** **142**

Desce a Cortina de Ferro 143 ... Sobe o Muro de Berlim 145 O Pacto de Varsóvia Une e Divide 146 A Águia Americana Mostra as Garras 148 A Coreia se Divide 149 Espiões, Espaço e Esteroides 150 Castro, Che e Cuba 151 Terror Nuclear: a Crise dos Mísseis em Cuba 152 A Guerra Fria Definida no Vietnã 154 Queimando os Certificados de Alistamento Militar 155 Um Passo Maior que a Perna 156 O Solidariedade Agita a Polônia 158 A União Soviética se Desintegra 158 Guerra e Paz na Rússia 159 China Surge à Esquerda do Palco 159 Ocupando o Centro do Palco 162

CAPÍTULO OITO ● **Mergulhando na Crise** **164**

O Genocídio de Pol Pot 165 Ilha de Guerra 166 A Limpeza Étnica Entra no Dicionário 167 Ditadores do Irã e do Iraque 169 Live Aid 171 Matança com Facões em Ruanda 173 Desastres Industriais 174 Guerra às Drogas 175 A Sinistra Reviravolta do Terrorismo 176 Luta Separatista ou Luta Religiosa? 178 Domingo Sangrento 179

CAPÍTULO NOVE ● **O Mundo no Ano 2000** **181**

Vivendo Mais e Melhor 182 Lançando a Rede 183 Remodelando o Mundo 185 Sujos e Nocivos 186 Limpando a Área 187 De Paris para o Futuro 188 Globalização do Comércio 189 Fronteiras para Pessoas 190 Deslocamentos de Poder 190 Sai o Velho... Entra o Novo 191 Desigualdade e Direitos 192 Palavra Final 192

BIBLIOGRAFIA 195

LISTA DE MAPAS

1. Em 1914, a Europa já havia colonizado a África   18

2. Rivais imperialistas: Rússia e Japão   28

3. Alianças militares na Europa durante a Primeira Guerra Mundial (1914-8)   39

4. Europa e Oriente Médio após os acordos de paz de 1918 e a formação da República Turca, em 1923   58

5. Rússia Soviética, Transcaucásia, Ucrânia e Belarus se unem para formar a URSS em 1922   60

6. O avanço da Alemanha até a França, atravessando a Bélgica   77

7. Extensão da expansão japonesa em 1942   89

8. A União Europeia em 1999   104

9. Nações integrantes da OPEP na década de 1970   106

10. Territórios coloniais franceses no Sudeste da Ásia (Indochina) e o cenário para a Guerra do Vietnã   129

11. Divisão da Palestina em 1947 e o acordo de cessar-fogo de 1949   139

12. A Cortina de Ferro entre o Ocidente e a Europa Oriental   145

13. Repúblicas e províncias iugoslavas   169

INTRODUÇÃO

Na chegada do ano 1901, muitas pessoas ainda viviam como seus ancestrais. A população mundial era de 1,5 bilhão de habitantes, e a maioria usava carvão ou madeira como combustível, produzia os próprios alimentos e vivia em comunidades rurais. A Revolução Industrial do século anterior trouxera os benefícios da luz artificial, da calefação, dos trens a vapor, do transporte motorizado e do telefone, mas somente para uma minoria abastada dos países ocidentais, então em desenvolvimento. Alianças entre nações ocorriam, principalmente, com propósitos de defesa militar. O colonialismo permitia que a cultura e a tecnologia do Ocidente se alastrassem pelo mundo — iniciando a tendência à globalização característica do século 20 —, mas criava relações desiguais entre as potências e suas colônias, exploradas para a obtenção de matéria-prima e de mão de obra barata.

Os países industrializados europeus ingressaram no século 20 em meio a uma onda de otimismo em relação ao futuro. Dominavam o mundo política e economicamente. Seus avanços científicos e tecnológicos, somados aos benefícios proporcionados por seus impérios, prometiam-lhes um mundo cada vez melhor.

Na virada do século, no entanto, apenas homens privilegiados e um número ainda menor de mulheres podiam votar. Elas raramente tinham acesso a uma educação melhor; crianças e jovens não tinham voz; a sociedade apresentava nítidas divisões de classe; e o racismo era lugar-comum.

Muita coisa mudaria no século 20. Nenhum outro século jamais presenciou um desenvolvimento tão rápido e disseminado, não só científico e tecnológico, como também social, político, econômico, médico e filosófico.

Este livro guiará o leitor pelos eventos complexos do século 20, contribuindo para a identificação de momentos decisivos, as causas subjacentes e os efeitos, que modelaram nosso mundo moderno.

Ao final do século, mudanças sociais, econômicas e políticas, decorrentes de turbulentos anos de guerras, haviam determinado que o velho mundo de reinos e impérios aristocraticamente controlados evoluísse para um mundo novo, dominado pelo comércio internacional e pelas alianças comerciais.

CAPÍTULO UM

A Transfiguração do Velho Mundo

A riqueza da Europa fora consequência da Revolução Industrial e da colonização de territórios ultramarinos. A Grã-Bretanha, a primeira nação a se industrializar, em fins do século 18, foi a potência colonial e comercial dominante durante a maior parte do século 19. A industrialização britânica se estendeu à Bélgica e ao restante da Europa continental. Fora da Europa, uma rápida industrialização dos Estados Unidos seguiu-se à Guerra Civil Americana (1861-5). O Japão também adotou os procedimentos industriais do Ocidente, concentrados em ferrovias, produção de têxteis e mineração, em uma tentativa de resistir ao domínio das potências ocidentais.

Produção de têxteis, siderurgia, ferrovias e outras indústrias em crescimento necessitavam de matérias-primas, como algodão, ferro, borracha e petróleo; e também de mercado para seus produtos, o que levou muitas nações comerciais a assumirem o controle de outros países, sob a forma de colônias. A onda imperialista do final do século 19, impulsionada pelo desejo de lucro e pela rivalidade entre nações, desenvolveu-se mais na Inglaterra, que tinha a Índia como ponto central de seu império. Por volta do ano 1900, França, Portugal, Holanda e Rússia haviam formado importantes impérios coloniais ou mantinham controle político e econômico sobre determinados territórios. A Alemanha e a Itália surgiam como potências emergentes no processo de estabelecer as próprias colônias, e o Japão, que alimentava ambições de se expandir comercialmente na China, constituía uma crescente força político-econômica na Ásia.

A industrialização criou prósperas classes médias e vastos contingentes de mão de obra. Mas nem todos usufruíam a prosperidade econômica do período. No início do século 20, os trabalhadores viviam em habitações exíguas e insalubres, eram obrigados a cumprir longas jornadas em condições de risco, revoltavam-se contra seus ricos empregadores, exigindo melhores condições e um padrão de vida mais elevado. Na Rússia, isso culminaria com a revolução que derrubou o império tsarista.

Em 1914, a Primeira Guerra Mundial, resultado da rivalidade imperialista na Europa, destruiria a paz que permitira a expansão europeia, desmantelando impérios e substituindo antigos países por novos.

A EUROPA FLEXIONA OS MÚSCULOS

As potências ocidentais nutriam antigo interesse no comércio com a Ásia. A influência portuguesa e, em seguida, holandesa na região seria eclipsada pelos britânicos e franceses no século 18, com os britânicos assumindo formalmente o governo da Índia em 1858. Os franceses controlaram a Polinésia na década de 1840, e a Indochina (Vietnã e Camboja), a partir de 1887.

Os Estados Unidos, formados em 1783 por antigas colônias da Grã-Bretanha, eram, de modo geral, isolacionistas, preferindo não interferir nos assuntos de outros países. Entretanto, por motivos estratégicos, anexaria, em 1898, o grupo de ilhas que forma o Havaí e assumiria, após a Guerra Hispano-Americana (também em 1898), as seguintes possessões espanholas: Filipinas e Guam, no Pacífico, e a ilha caribenha de Porto Rico.

Entre 1878 e a deflagração da Primeira Guerra Mundial, em 1914, os impérios coloniais europeus cresceram rapidamente à medida que os países rivais se apressavam em colonizar regiões

CAPÍTULO UM: A TRANSFIGURAÇÃO DO VELHO MUNDO

subdesenvolvidas do mundo para se apossar de matérias-primas. A conquista da África foi tão competitiva que ficou conhecida como "Disputa pela África". Além dos benefícios comerciais e econômicos, os europeus viam a colonização como um empreendimento nobre, que conduziria as nações mais primitivas rumo a um modo de vida civilizado e cristão. Em 1914, a Europa controlava 85% das terras habitáveis do planeta.

DISPUTA PELA ÁFRICA

Na década de 1880, o único continente ainda pouco colonizado era a África, o "Continente Negro". Na época, o prestígio e os benefícios econômicos, políticos e estratégicos de controlar uma parte desse vasto território pareciam tentadoramente alcançáveis: vacinas haviam sido disponibilizadas para combater doenças tropicais, um perigo bastante temido pelos colonizadores, e a invenção da metralhadora Maxim prenunciava vitórias fáceis nos combates contra populações nativas. Em vez de lutarem entre si, as potências europeias promoveram uma conferência em Berlim (1884-5), idealizada pelo chanceler alemão Otto von Bismarck, e combinaram como repartiriam a África.

Em 1914, 90% da África estavam sob domínio europeu. A Grã-Bretanha e a França controlavam os maiores territórios. O Império Alemão era o terceiro maior beneficiário; Bélgica, Portugal e Itália também controlavam áreas significativas. As colônias africanas proporcionavam mão de obra barata, matérias-primas e ouro (no sul da África), um mercado livre para os produtos europeus e um manancial de soldados africanos que lutariam nas futuras guerras mundiais. O Canal de Suez, no Egito, era de particular valor estratégico, pois assegurava o fluxo de comércio internacional entre o Oriente e o Ocidente. Mas a divisão do continente africano promovida pelos europeus, que desconsiderou grupos nativos e aboliu sistemas de governo preexistentes, acarretaria gravíssimos problemas mais tarde (pág. 120).

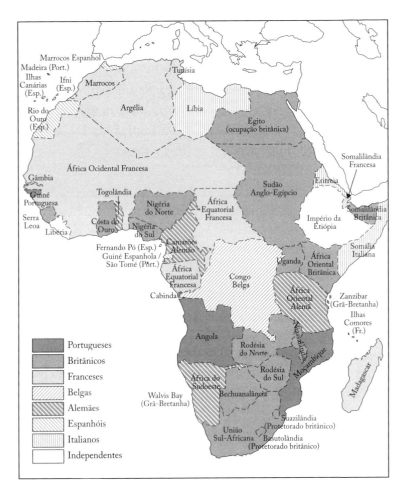

1 Em 1914, a Europa já havia colonizado a África

*RULE, BRITANNIA!**

Ao longo do reinado da Rainha Vitória (1837-1901), o Império Britânico, "onde o sol jamais se punha", estendia-se a tantas partes

---

* Hino patriótico britânico. *Britannia* — ou Britânia, em português — é um termo antigo e poético para designar a Grã-Bretanha. A expressão pode ser traduzida como "Domine, Britânia!". (N.T.)

CAPÍTULO UM: A TRANSFIGURAÇÃO DO VELHO MUNDO

19

do planeta, que pelo menos uma delas estava sempre à luz do dia. Controlando mais de 20% da população mundial, foi o maior império da história, a primeira superpotência da era moderna.

O tamanho e o sucesso do Império Britânico deviam-se, em grande parte, à poderosa Real Marinha Britânica — que dominava as rotas comerciais e assegurava postos avançados de comércio — e à sua primazia na Revolução Industrial, que lhe proporcionava as ferramentas para as conquistas e para a expansão: ferrovias, navios a vapor e armas automáticas.

A Grã-Bretanha lucrava com a importação de matéria-prima barata de suas colônias, tais como açúcar, chá, tabaco e algodão (principalmente), este importado de suas ex-colônias na América do Norte. O algodão era tecido nas fábricas do país, dotadas de máquinas a vapor. Os tecidos de algodão acabaram suplantando os de lã, que, até então, eram a espinha dorsal da economia britânica desde a época medieval. Os artigos de algodão produzidos na Grã-Bretanha inundaram o mercado mundial, pois eram mais baratos que os vendidos pela Índia e pelo Egito, países menos industrializados.

O Império Britânico também prosperou com os lucros obtidos no tráfico de escravos africanos para os Estados Unidos até que a escravidão fosse abolida, em 1808, sob a pressão dos movimentos antiescravagistas.

Quando a Rainha Vitória chegou ao poder, o império era mercantilista (estabelecia tarifas para garantir uma balança comercial favorável, em que as exportações superassem as importações), dominado por empresas comerciais monopolistas, como a Companhia das Índias Orientais. Mas, durante o reinado de Vitória, a economia da Grã-Bretanha se transformou, adotando uma política de livre-comércio (sem tarifas, cotas ou restrições, tanto nas importações como nas exportações). Os vitorianos acreditavam que esse era o segredo para a prosperidade.

O TELEGRAMA DE KRUGER

Na década de 1880, durante a "Disputa pela África", grandes jazidas de ouro foram descobertas no Transvaal,* no sul da África. O afluxo de prospectores britânicos às áreas auríferas incomodou os bôeres,** descendentes de holandeses falantes de africâner*** que haviam se transferido para aquela região com o intuito de escapar ao domínio britânico na Colônia do Cabo.

A Grã-Bretanha, que via a república bôer como uma ameaça à sua supremacia na região, engendrou um plano para derrubar o governo do Transvaal. A chamada "Incursão Jameson", porém, fracassou, levando o Kaiser Guilherme II, da Alemanha (neto da Rainha Vitória), a enviar, no dia 3 de janeiro de 1896, um telegrama ao presidente do Transvaal, Paul Kruger, dizendo: "Venho expressar minhas sinceras congratulações ao senhor e ao seu povo, por terem obtido sucesso contra os bandos armados, verdadeiros perturbadores da paz que invadiram seu país, sem recorrer ao apoio de potências amigas e com suas próprias ações enérgicas, restaurando a paz e mantendo a independência do país."

O telegrama do Kaiser exacerbou tensões existentes entre a Grã-Bretanha e a Alemanha, e lembrou aos britânicos os riscos associados à sua política de "esplêndido isolamento" (sem temer nenhum inimigo e sem precisar de nenhum amigo). A Grã-Bretanha mudaria tal política logo depois, aderindo a um sistema de alianças que colocaria a Europa na rota da guerra.

---

* Região situada ao norte do rio Vaal. O nome significa "além do Vaal", assim como, em Portugal, "Alentejo" significa "além do (rio) Tejo". (N.T.)

** Palavra de origem holandesa que significa "fazendeiro" ou "agricultor". (N.T.)

*** "Africâner", ou africânder, língua que derivou do holandês falado no século 17. Os termos designam também os falantes do idioma, sendo um sinônimo para bôer. (N.T.)

ESPLÊNDIDO ISOLAMENTO, NUNCA MAIS

A Grã-Bretanha subjugou os bôeres na Segunda Guerra dos Bôeres (1899-1902) e anexou suas repúblicas africanas, mas o conflito insuflou o nacionalismo dos africâners, que decidiram tornar-se independentes da Grã-Bretanha. Abalados pelo conflito, os britânicos começaram a temer pela segurança do seu império, assunto relevante, pois o mesmo tinha importância vital para a economia britânica.

Em 1902, a Grã-Bretanha estabeleceu uma aliança militar com o Japão — na época, a maior potência do Extremo Oriente — no intuito de fortalecer sua influência internacional e proteger o comércio britânico na China. A aliança visava dar um golpe na Rússia, rival de ambos. A Rússia, que recentemente ocupara a estratégica cidade de Port Arthur, na Manchúria, pondo em risco os interesses comerciais dos britânicos na China, tinha ambições na Coreia, considerada o quintal dos japoneses. Agora, a Grã--Bretanha e o Japão poderiam contar com apoio recíproco na eventualidade de uma guerra contra a Rússia ou qualquer outra potência.

A Grã-Bretanha também procurou fazer amizade com a França, encerrando antigas disputas em acordos que ficaram conhecidos como Entente Cordiale (1904). Os acordos visavam oferecer segurança mútua no caso de uma guerra na Europa, sobretudo contra a Alemanha, grandemente fortalecida desde a sua unificação sob o domínio prussiano, em 1871.

Por volta de 1910, a capacidade manufatureira da Grã-Bretanha fora eclipsada pelos Estados Unidos e pela Alemanha. Em 1912, o Egito britânico viu-se ameaçado pela expansão da Itália na Líbia (pág. 17). Uma década mais tarde, a Revolução Egípcia de 1919-22 o arrebatou do controle britânico. Embora o Império Britânico tenha continuado a expandir seus territórios até pouco depois da Primeira Guerra Mundial, a Grã-Bretanha não mais seria a maior potência industrial e militar do mundo.

A China Imperial se Desintegra

A China era uma parte do mundo que escapara ao controle direto das potências europeias. Mas a China Imperial, governada pela dinastia Qing desde 1644 e centro de civilização por, pelo menos, dois milênios, estava em declínio. As Guerras do Ópio (1839-42 e 1856-60), travadas contra a Grã-Bretanha, que queria liberdade para continuar seu comércio de ópio no país — lucrativo mas nefasto —, haviam lhe cobrado pesadas reparações, além da perda da ilha de Hong Kong.

A China também enfrentara uma sangrenta guerra civil (a Rebelião Taiping, 1850-64), sofrera perdas territoriais para a Rússia, tivera conflitos com a França no Vietnã, na década de 1880, e fora obrigada a suportar a rivalidade com o Japão no tocante à Coreia.

Os europeus viram na China uma oportunidade de exploração comercial, mas a rápida penetração no império provocou uma violenta reação, a Rebelião dos Boxers (1899-1901), liderada por membros de uma sociedade secreta intitulada Punhos Harmoniosos e Justos (eram chamados de *boxers** pelos ocidentais, por seu estilo de lutar). Os *boxers* pretendiam acabar com a influência ocidental na China, inclusive com o trabalho dos missionários cristãos, visto como uma ameaça à milenar cultura chinesa. Nas palavras de um revolucionário: "Quando olho para o meu país, não consigo controlar meus sentimentos. Pois, além de termos a mesma autocracia vigente na Rússia, somos pisoteados há duzentos anos por bárbaros estrangeiros."

A violência irrompeu na província costeira de Shandong — área sob influência alemã que se industrializava rapidamente — quando trabalhadores chineses mal remunerados se juntaram aos *boxers* para assassinar europeus. Em Pequim, os *boxers*, que alegavam ter proteção sobrenatural contra projéteis, sitiaram o Bairro das Delegações,

---

* O termo *boxer* (boxeador) foi mantido em inglês porque assim se consagrou nos compêndios de história brasileiros e portugueses. Mas sua tradução se justificaria, como o texto deixa claro, pois muitos dos membros da tal sociedade secreta eram praticantes de boxe chinês. Uma tradução mais fiel (e pitoresca) seria Rebelião dos Boxeadores. (N.T.)

CAPÍTULO UM: A TRANSFIGURAÇÃO DO VELHO MUNDO

onde os estrangeiros haviam buscado refúgio. Quando as forças ocidentais aliadas avançaram para prestar socorro, a Imperatriz Viúva Cixi decidiu apoiar a milícia camponesa. Foram necessários 55 dias para que um contingente de russos, japoneses, americanos e europeus chegasse a Pequim. Os estrangeiros sitiados foram, então, libertados e centenas de *boxers*, executados pelas forças de ocupação.

A imperatriz foi intimada a indenizar as nações estrangeiras envolvidas, o que debilitou ainda mais a economia chinesa. Totalmente enfraquecida, a dinastia Qing desmoronaria 10 anos depois em um golpe revolucionário, o que pôs fim à China Imperial.

Um Novo Mundo Móvel e Consumista

Em 1901, a sociedade ocidental ainda era sacudida pelas mudanças sem precedentes do século anterior. Economias agrícolas haviam sido transformadas pela Revolução Industrial: motores a vapor substituíram a energia hidráulica e a de tração animal, sendo agora utilizados em navios, trens e nos primeiros veículos movidos a motor de combustão interna, que os automóveis introduziram por volta do ano 1890. Máquinas de fiar e tecer transformaram a indústria têxtil. Novos processos criaram produtos de ferro forjado e aço, e desenvolveram a mineração do carvão. Estradas foram aprimoradas, ferrovias e canais, construídos. A invenção do telefone e do telégrafo transformou as comunicações.

A cultura dos empreendimentos incluiu maravilhas da engenharia, como o Canal de Suez, no leste do Egito, que conectou o Mediterrâneo ao Mar Vermelho e revolucionou o fluxo de comércio global ao encurtar as rotas entre a Europa, o norte da África e a Ásia. O mesmo se pode dizer do Canal do Panamá, que seria construído pelos Estados Unidos 40 anos depois, entre 1907 e 1914. Cortando a estreita faixa de terra que conectava as Américas do Norte e do Sul, o canal facilitou o transporte marítimo entre os oceanos Atlântico e Pacífico, tornando-se uma via essencial para o comércio marítimo. Os navios que se dirigiam à costa oeste dos Estados Unidos já não precisavam mais utilizar a perigosa rota ao redor do Cabo Horn, na extremidade austral da América do Sul.

No início do século 20, teve início uma nova era de bens de consumo produzidos em massa, inclusive os provenientes das linhas de montagem da fábrica de Henry Ford, inventor da linha de montagem. Tal inovação reduziu o tempo de fabricação do Ford T, modelo que em 1918 já representava 50% de todos os carros existentes nos Estados Unidos. De preço acessível e dirigido a uma crescente classe média urbana, os carros da Ford abriram para os americanos a possibilidade de viajar em veículos automotores. As linhas de montagem logo foram incorporadas pelos produtores de outros bens de consumo.

O PRIMEIRO VOO MOTORIZADO

Em 1903, na Carolina do Norte, Orville Wright completou o primeiro voo em uma aeronave dirigível mais pesada que o ar, voando durante 12 segundos. Foi o ponto culminante de anos de experimentos feitos pelos irmãos Orville e Wilbur. Em 1909, o inventor e aviador francês Louis Blériot obteve do jornal Daily Mail *um prêmio de mil libras por ter voado da Inglaterra até a França em um monoplano,* atravessando o Canal da Mancha.*

Não tardou para que os aeroplanos fossem usados em missões de guerra, inicialmente pelos italianos, na Guerra Ítalo-Turca (1911-2), em voos de reconhecimento e bombardeios. Em 1914, após a deflagração da Primeira Guerra Mundial, o piloto francês Roland Garros prendeu uma metralhadora na frente do seu avião e, em 1915, o ás da aviação alemão Kurt Wintgens obteve a primeira vitória em combate aéreo pilotando um avião cuja metralhadora era sincronizada para disparar sempre entre as pás da hélice.

---

* Avião com apenas um par de asas, ao contrário dos biplanos (dois pares) e triplanos (três), comuns naquela época. (N.T.)

A Era Dourada

Os países em processo de industrialização, embora economicamente poderosos no cenário mundial, viam-se internamente às voltas com uma sociedade dividida. Os aristocratas abastados e as classes A e B eram os maiores beneficiados pela industrialização, enquanto a classe operária e os pobres eram substituídos pelas máquinas nas fábricas; quando encontravam empregos como operadores de máquinas, era com salários aviltantes. O padrão de vida permanecia baixíssimo.

O período de otimismo, inovação, prosperidade e estabilidade da Europa entre as décadas de 1870 e 1914 ficou conhecido como Belle Époque. Nesses anos dourados, os ricos dispunham cada vez mais de tempo livre, e Paris se tornou um polo de atração para artistas e escritores. O estilo *art nouveau* da capital francesa influenciou não só a arquitetura, mas o design e as artes plásticas ao redor do mundo. O realismo literário, que encontrou expressão em autores como Émile Zola, foi um dos precursores do modernismo (pág. 31).

Ao mesmo tempo, os Estados Unidos pós-guerra civil vivenciavam a "Era Dourada", uma expansão econômica estimulada pelo desenvolvimento de ferrovias, novas refinarias de petróleo, siderúrgicas e mercadorias produzidas industrialmente. A par dessa nova riqueza dos Estados Unidos, surgiram problemas sociais vinculados à vasta força de trabalho constituída por migrantes de áreas rurais e do exterior, muitos de nações europeias, em busca de melhores condições de vida. Dizia-se então que esses problemas sociais eram mascarados por uma fina película de prosperidade, imagem captada por Mark Twain e Charles Dudley Warner em *The Gilded Age: A Tale of Today* [*A era dourada: uma história de hoje*], romance publicado em 1873.

Trabalhadores, Uni-vos!

Ao contrário dos Estados Unidos, onde o *self-made man* era respeitado por sua capacidade, a sociedade vitoriana da Grã-Bretanha repousava na crença de que a posse herdada da terra era a marca de um *gentleman* (fidalgo), e a profissão mais nobre para um *gentleman* era o serviço público, não o comércio. Isso separava os aristocratas, proprietários de terra, dos comerciantes e das classes operárias. Havia ainda a divisão entre os trabalhadores na indústria e os demais, descontentes com seus baixos salários e péssimas condições de trabalho. Filantropos ricos e engajados tentavam resolver tais problemas com obras de caridade, mas as doações eram irregulares e a assistência social oferecida pelo governo não se mostrava suficiente.

Em 1910, o crescimento econômico da Grã-Bretanha estagnara, juntamente com os salários, e os preços haviam aumentado. Mesmo assim, os trabalhadores britânicos eram pressionados a melhorar sua produtividade, de modo a manter os níveis de lucro. Inspirados pela greve das funcionárias de uma fábrica de fósforos e dos trabalhadores das indústrias petrolífera e da construção naval, muitos deles se filiaram a sindicatos, em busca de apoio coletivo, o que acarretou uma série de greves, como "O Grande Tumulto", cujo objetivo era melhorar salários e as condições de trabalho para o proletariado. Em 1926, a Grã-Bretanha teve sua primeira greve geral, durante uma recessão econômica que se seguiu à Primeira Guerra Mundial. Foi quando mineradores britânicos em greve receberam a adesão e a solidariedade de operários de outras categorias. Uma combinação de voluntários de classe média, obstáculos de ordem jurídica e líderes sindicais temerosos acabou pondo fim ao movimento.

As desigualdades sociais, somadas às empresas privadas e ao capitalismo de livre-mercado, acabaram provocando o surgimento de outro movimento, o socialismo. Enquanto os movimentos trabalhistas pretendiam melhorar as condições de trabalho dentro do sistema capitalista, os socialistas pretendiam substituir o capitalismo por um novo sistema em que os trabalhadores compartilhariam a posse e o controle dos meios de produção. Aliados aos sindicatos, os socialistas europeus lideraram um movimento trabalhista internacional inspirado no slogan cunhado por um economista e revolucionário alemão chamado Karl Marx: "Trabalhadores de todos os países, uni-vos."

CAPÍTULO UM: A TRANSFIGURAÇÃO DO VELHO MUNDO 27

Exigiam melhores condições trabalhistas, inclusive uma jornada de trabalho de oito horas.

A Grã-Bretanha, assim como outros prósperos países ocidentais, conseguiram conter os movimentos proletários de massa recém-surgidos durante os poucos e preciosos anos de estabilidade na virada do século 20. Mas, para alguns países, esses foram anos de revolução iminente ou real.

ESTRONDOS NA RÚSSIA

O Império Russo tsarista, que se estendia da Polônia, no Ocidente, até a península de Kamchatka, na extremidade oriental da Ásia, era o maior país contíguo do mundo em 1901.

A enorme e diversificada população da Rússia incluía alemães, asiáticos, poloneses e muitos outros povos eslavos; com tantas nacionalidades juntas, havia constante tensão política. A cultura russa foi imposta em todo o império, priorizando o cristianismo promovido pela Igreja Ortodoxa Russa. Os judeus russos, como outras minorias, não usufruíam de plenos direitos. Cerca de 85% da população era constituída por camponeses. Emancipados da servidão nas propriedades rurais privadas em 1861, na virada do século viviam nas terras mais pobres e na mais extrema miséria.

O império tardara a se industrializar, em comparação a impérios rivais como Grã-Bretanha, França e Alemanha, mas, a partir de 1891, iniciou obras de infraestrutura, como a ferrovia Transiberiana, a Ferrovia da China Oriental e a Transmanchuriana. Capitais estrangeiros afluíram ao país e financiaram novas fábricas; no início do século 20, a Rússia era o quarto produtor mundial de aço e o segundo maior exportador de petróleo.

A rápida industrialização levou para as cidades milhares de camponeses sem terra, formando uma classe operária industrial. Vivendo e labutando em condições duríssimas (eles trabalhavam, em média, 11 horas por dia), não dispunham de recursos para melhorar de vida: os sindicatos eram ilegais, as greves eram proibidas e o exército russo reprimia as insurreições. Ideias revolucionárias se propagavam entre o proletariado.

Em 1894, após a morte do pai, o Tsar Nicolau II começou a governar a Rússia. O revolucionário e teórico marxista Leon Trotsky, da Ucrânia (parte do Império Russo), observou certa vez: "Nicolau herdou dos seus antepassados, além de um império gigantesco, uma revolução. Mas eles não lhe legaram nenhuma qualidade que pudesse torná-lo capaz de governar um império, ou mesmo um país."

O tsar confiou ao Ministro do Interior Vyacheslav von Plehve a tarefa de reprimir os reformistas e os revolucionários. Plehve alegou que 90% dos revolucionários da Rússia eram judeus, e encorajou e incitou desordeiros a atacá-los (esses ataques ficaram conhecidos como *pogroms*), o que levou muitos judeus a abandonarem a Rússia e irem para os Estados Unidos.

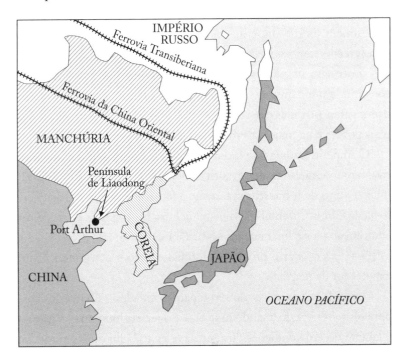

2 Rivais imperialistas: Rússia e Japão

CAPÍTULO UM: A TRANSFIGURAÇÃO DO VELHO MUNDO

Plehve e o tsar viram uma oportunidade de expansão no Império Chinês, que vinha declinando rapidamente desde que fora derrotado pelo Japão na Primeira Guerra Sino-Japonesa (1894-5). Os alvos eram a Manchúria — incluindo a cidade de Port Arthur, na província de Liaodong, cujo porto permanecia operacional durante o ano inteiro — e a Coreia. Isso irritou o Japão, rival imperialista, que retaliou com a Guerra Russo-Japonesa (1904-5), a primeira grande guerra do século 20. A vitória decisiva do Japão confirmou sua ascensão como poderosa nação industrial, enquanto o Tsar Nicolau II foi responsabilizado pela derrota da Rússia. Os revolucionários russos decidiram, então, atuar, notadamente o exilado Vladimir Lenin, que declarou em 1905: "Vocês não estão sozinhos, trabalhadores e camponeses da Rússia! Se conseguirem derrubar, esmagar e destruir os tiranos da Rússia tsarista, feudal, policialesca e patronal, sua vitória servirá como sinal para uma luta mundial contra a tirania capitalista."

DOMINGO SANGRENTO

Abismado com as deploráveis condições existentes nas fábricas russas e a ausência de reformas, um sacerdote radical, padre George Gapon, formou, em 1903, a Assembleia dos Trabalhadores Russos. Um ano mais tarde, quando quatro membros da assembleia foram demitidos de uma siderúrgica, Gapon iniciou uma marcha com 100 mil trabalhadores, pelas ruas de São Petersburgo, para entregar ao tsar uma petição assinada reivindicando oito horas de trabalho, salários dignos, melhores condições de trabalho e voto universal.

A multidão foi atacada pelos soldados do tsar, que mataram mais de 100 pessoas e feriram 300. O incidente deu início à Revolução Russa de 1905: um motim no encouraçado Potemkin, greves de trabalhadores e a formação de sovietes (conselhos eleitos por trabalhadores) em São Petersburgo e outras cidades. Profissionais de classe média aderiram, estabelecendo a União das Uniões e exigindo uma Assembleia Constituinte. Cedendo às pressões, Nicolau II publicou o Manifesto de Outubro, que concedia liberdade de expressão, reunião e associação, proibindo prisões sem julgamento e, por fim, estabelecendo uma Câmara Legislativa eleita, a Duma, para trabalhar pelas reformas.

Em 1906, o tsar renegou o acordo e dissolveu a Duma, transformando a primeira revolução em um fracasso. Mas as sementes de uma futura rebelião e da derrubada do Império Russo já haviam sido lançadas (pág. 58).

REVOLTAS POPULARES SE ALASTRAM

O descontentamento com dirigentes autocráticos e corruptos, regimes repressivos e desigualdades ativou revolucionários em todo o mundo.

A Revolução Mexicana (1910-20), que derrubou o ditador Porfirio Díaz, no poder havia 31 anos, foi deflagrada quando Díaz marcou uma eleição. Os agricultores do México viviam na pobreza e não viam opção que não fosse a revolta, o que mergulhou o país em anos de violência e instabilidade política.

O decrépito Império Persa (que ocupava áreas do atual Irã), governado pelo extravagante e fraco Mozafar Adim, vivenciou uma revolução entre 1905 e 1907, que deu origem a uma nova Constituição, levou à abdicação do xá e ensejou a formação de um parlamento. Entretanto, em 1907, o império acabou perdendo a autonomia, quando Grã-Bretanha e Rússia dividiram a Pérsia entre si no Acordo Anglo--Russo. Resolviam, assim, anos de rivalidade na Ásia Central, que se tornou conhecida como "O Grande Jogo", no qual a Grã-Bretanha via a Rússia como uma ameaça à Índia britânica.

Anarquistas que almejavam a destruição dos Estados para substituí-los por sociedades apátridas também operavam em diversos países, executando atos individuais de terrorismo, inclusive o assassinato do Rei Humberto I, da Itália, em 1900, e do presidente dos Estados Unidos William McKinley, em 1901. Os anarquistas acrescentaram violência e radicalismo à dissidência popular.

CAPÍTULO UM: A TRANSFIGURAÇÃO DO VELHO MUNDO

Revolução nas Artes e nas Ciências

Os avanços científicos e tecnológicos que surgiram como resultado da Revolução Industrial encorajaram artistas a reexaminarem cada aspecto da vida. Um novo movimento, o modernismo, abandonou o romantismo antitecnológico do século 19 para adotar novos métodos e valores burgueses. O artista modernista era um revolucionário que se distanciava dos processos artísticos tradicionais, vistos como um estorvo ao progresso. Trabalhando na França, o artista espanhol de vanguarda Pablo Picasso rejeitou a perspectiva tradicional; seus experimentos ensejaram o cubismo, que envolvia a análise e a remontagem de objetos numa forma abstrata, além de outros movimentos artísticos, como o futurismo e o surrealismo. Os pintores expressionistas alemães Paul Klee e Wassily Kandinsky, bem como o escritor tcheco Franz Kafka, reagiram contra os efeitos desumanizadores da industrialização urbana e se afastaram do realismo nas artes.

Na música, o modernismo levou o compositor austro-americano Schönberg a fazer experimentos com a tradicional harmonia tonal, utilizando uma técnica de doze tons, que evitava a limitação imposta pelo uso de uma determinada clave, método que influenciou muitos compositores modernos. Na arquitetura, o modernista franco-suíço Le Corbusier repudiou os estilos tradicionais e reinventou os prédios como "máquinas de morar".

A ciência continuou a expandir os horizontes da humanidade no início do século 20. Os raios X tinham acabado de ser descobertos por Wilhelm Röntgen, em 1895, quando Marie e Pierre Curie identificaram a radioatividade, o que acarretou mudanças nos conceitos sobre a estrutura da matéria. Em 1900, Max Planck aventou que a energia não se propagava em um fluxo contínuo (como se pensava até então), mas em pequenos pacotes de energia, ou *quanta*, sendo um *quantum* a menor quantidade possível. Einstein adotou a ideia em 1905, quando apresentou sua teoria da relatividade restrita, que derrubou a teoria anterior de que espaço e tempo eram absolutos; segundo ele, ambos são relativos a um observador; 1 milhão de anos para nós, por exemplo, representariam alguns segundos para alguém que pudesse deslocar-se próximo à velocidade da luz (algo impossível na prática, mas já confirmado por observações astronômicas). Sua teoria geral da relatividade, publicada em 1916, afirmava que a matéria encurva o espaço, o que explicou a movimentação de certos corpos celestes que, à luz da teoria existente, parecia anormal.

O NACIONALISMO DITA O CURSO DA HISTÓRIA

Os impérios chinês e russo foram duas entre diversas baixas imperiais nas primeiras décadas do século 20. Uma força em gestação destruiria outros impérios na Primeira Guerra Mundial (1914-8). No ambiente relativamente pacífico do século 19 e início do 20, o nacionalismo, uma forma extremada de patriotismo, serviu para unificar as nações europeias, cujas populações acreditavam piamente na supremacia econômica, cultural e militar de seus países. Mas também gerou feroz competição e rivalidade entre as potências do Velho Continente. O Império Alemão, criado em 1871 com a unificação da Alemanha, que se seguiu à Guerra Franco-Prussiana, tinha ambições nacionalistas e imperialistas. Isso levaria o mundo à Primeira Guerra Mundial, que acabou provocando o colapso do próprio império.

Outros impérios cairiam juntamente com a Alemanha, inclusive o Austro-Húngaro, na Europa Central, uma união estabelecida no século 19 entre Áustria e Hungria. Esse império era governado pelos Habsburgo, família real cuja dinastia remontava ao Sacro Império Romano-Germânico.

O Império Otomano, criado em 1299 na Anatólia (região que integra a Turquia atual), conquistara em 1453 as terras do Império Bizantino, que ocupava a metade oriental do Império Romano. Seu governante absolutista, o sultão, era visto pelos muçulmanos como o chefe supremo da fé islâmica. A aliança dos otomanos com a Alemanha, em 1914, uma tentativa de recuperar territórios perdidos para as potências europeias, selaria o destino dessa potência decadente do leste do Mediterrâneo.

Capítulo Dois

A Guerra para Acabar com Todas as Guerras

Em 1914, o Império Alemão havia se tornado a potência dominante na Europa. Sua indústria química liderava o mercado mundial, seu exército era o maior do mundo e sua marinha só era superada pela marinha britânica. A Alemanha desempenharia um papel decisivo ao arrastar o continente para o caos da Primeira Guerra Mundial. Mas havia outros fatores em jogo na Europa, como pressões pela democratização e pelo socialismo, exigências nacionalistas, temor pelo colapso de impérios conquistados a duras penas e, fundamentalmente, o medo entre as nações. A Alemanha temia ser encurralada pela França e pela Rússia; a Rússia estava preocupada com a possibilidade de controle alemão sobre os Bálcãs e sobre o Oriente Médio; a França, humilhada por sua derrota na Guerra Franco-Prussiana (1870-1), sentia-se ameaçada pelo crescente poder da Alemanha; e a Grã-Bretanha se inquietava diante da perspectiva de perder sua posição dominante no mundo.

Esses países foram mergulhados em uma guerra que julgavam ser necessária para assegurar as respectivas liberdades. Achavam que o confronto terminaria em poucos e heroicos meses, e que poria um fim a todas as guerras. Na verdade, era o início de um novo tipo de guerra total, que envolveria a mobilização de civis em solo pátrio. Uma guerra em que a tecnologia assumiria uma importância destrutiva sem precedentes, uma guerra que provocaria ainda mais conflitos.

CONFLUINDO PARA A GUERRA

Na década anterior ao evento que acenderia o estopim da Primeira Guerra Mundial, os países imperialistas da Europa haviam se digladiado por rotas de comércio, mercados e territórios, movidos por interesses econômicos e pela busca de poder e status. Enquanto a Alemanha crescia, os impérios otomano e austro-húngaro declinavam. A Grã-Bretanha ainda tinha a maior marinha do mundo, construindo navios de combate como o *HMS Dreadnought* (1906), entre outros, para manter sua supremacia naval. Outros países, principalmente a Alemanha, apressavam-se em fabricar armas de grosso calibre e em aumentar seus exércitos, acreditando que isso funcionaria como um fator dissuasor para a guerra.

Diante da corrida armamentista e às voltas com os crescentes gastos, o tsar da Rússia, Nicolau II, organizou, em 1899, uma conferência de paz em Haia, com vistas a negociar o desarmamento. Assim, os países seriam forçados a resolver suas disputas internacionais mediante arbitragem, e não guerras. A iniciativa, entretanto, foi vetada pela Alemanha. Uma segunda conferência de paz, convocada em 1907 por Theodore Roosevelt, então presidente dos Estados Unidos, introduziu algumas regras para as guerras, mas uma tentativa de limitar os armamentos, vista pela Alemanha como um movimento dos britânicos para cercear a marinha alemã, foi descartada.

As lideranças se tornaram complacentes com a possibilidade de uma guerra. Acreditavam que poderiam manter o equilíbrio de poder e se proteger mediante alianças contratuais. Essas mesmas alianças, porém, enredaram a Europa em uma teia de obrigações potencialmente onerosas, que se converteram numa das principais causas da Primeira Guerra Mundial.

CAPÍTULO DOIS: A GUERRA PARA ACABAR COM TODAS AS GUERRAS

O MUNDO É UM BARRIL DE PÓLVORA

Em 1907, as crescentes rivalidades haviam dividido as potências em dois grupos: de um lado, a Tríplice Aliança, constituída pela Alemanha, Áustria-Hungria e Itália; de outro, a Tríplice Entente, constituída pela Rússia, Grã-Bretanha e França. O motivo de tal divisão provinha, em parte, da Guerra Franco-Prussiana de 1870-1 — que deixara França e Alemanha em campos fortemente antagônicos — e, em parte, de rivalidades na região dos Bálcãs.

Os Bálcãs, a multiétnica península no sudeste da Europa, antes parte do Império Romano do Oriente (Império Bizantino), de religião cristã ortodoxa, eram controlados pelo Império Otomano, muçulmano, desde a Idade Média. Ao longo de dois séculos, a Rússia se estendera gradualmente para o sul, invadindo territórios otomanos, aliando-se aos sérvios, praticantes do cristianismo ortodoxo, e se comprometendo a tomar o partido dos sérvios no caso de uma crise. A Sérvia e a Grécia haviam se libertado do controle otomano no século 19. Durante a Guerra Russo-Turca de 1877-8, a Rússia liderou uma coalizão de Estados balcânicos ortodoxos contra o Império Otomano, tentando pôr fim à discriminação contra os cristãos. A iniciativa granjeou a independência para Montenegro, Romênia e parte da Bulgária.

No início do século 20, a Rússia continuou a apoiar a independência balcânica, e ficou particularmente irritada quando a Áustria--Hungria, uma arquirrival, anexou a Bósnia-Herzegovina em 1908, após tirá-la das mãos do Império Otomano.

O chanceler alemão e arquiteto da unificação da Alemanha, Otto von Bismarck, achava que a França tentaria recuperar a Alsácia--Lorena, anexada pela Alemanha após a Guerra Franco-Prussiana. Assim, em 1873, formou uma aliança (Liga dos Três Imperadores) com a Rússia e a Áustria-Hungria. O tratado teve curta duração, devido a tensões entre a Rússia e a Áustria-Hungria por conta da Bósnia--Herzegovina. A rivalidade gerou, em 1879, uma segunda aliança entre a Alemanha e a Áustria-Hungria, na qual ingressou a Itália, em 1882, formando a Tríplice Aliança. Seus membros se comprometiam a prestar apoio mútuo em caso de ataque por outra potência. A poderosa Tríplice Aliança acarretou uma aliança defensiva franco-russa, em 1894.

Na década de 1890, após a renúncia do Chanceler Bismarck devido a discordâncias com o imperador, o Kaiser Guilherme II, houve uma mudança na política externa alemã, compondo o emaranhado de tratados de defesa mútua. A saída de Bismarck colocou o império em um novo curso, pois o Kaiser estava convicto de que as potências europeias conspiravam para cercar a Alemanha, impedindo-a de se expandir. A nova e errática política alemã impeliu a Grã-Bretanha a formar alianças com seus grandes rivais colonialistas, a França (na Entente Cordiale de 1904) e a Rússia (em 1907).

As crescentes tensões explodiram nas duas Guerras do Bálcãs de 1912-3. Grécia, Sérvia, Bulgária e Montenegro, já independentes do Império Otomano, anexaram a Macedônia, controlada pelos otomanos, no intuito de libertar mais povos eslavos do jugo daquele império. Os sérvios que viviam na Bósnia-Herzegovina, dominada pela Áustria-Hungria, clamaram, então, pela liberdade de se unirem à Sérvia.

O que aconteceu em seguida havia sido previsto anos antes por Bismarck, quando anunciou: "Um dia, a grande Guerra Europeia acontecerá por causa de alguma bobagem nos Bálcãs."

A FAGULHA BALCÂNICA

Em 28 de junho de 1914, o Arquiduque Franz Ferdinand, herdeiro legítimo do trono da Áustria, foi assassinado em Sarajevo, capital bósnia, por um nacionalista sérvio. O arquiduque fora inspecionar os soldados do império na Bósnia-Herzegovina, anexada pela Áustria seis anos antes.

O dia em que ele e a esposa percorriam a cidade em um carro aberto coincidiu com o Dia de São Vito, quando os sérvios étnicos reverenciam os mártires sérvios que tombaram na Batalha do Kosovo, travada em 1389 contra o Império Otomano. Um grupo secreto de nacionalistas sérvios,

CAPÍTULO DOIS: A GUERRA PARA ACABAR COM TODAS AS GUERRAS

o Mão Negra, que almejava a independência da Bósnia, escolheu esse dia especial para agir contra a Áustria imperial. Quando um dos revolucionários arremessou uma bomba no carro do arquiduque, essa rolou pela traseira, deixando o casal incólume; mais tarde, quando o cortejo tomou um caminho errado, outro membro do grupo, um jovem bósnio de etnia sérvia, Gavrilo Princip, matou a tiros Franz Ferdinand e a esposa.

A Áustria-Hungria responsabilizou o governo sérvio e lançou-lhe um ultimato, exigindo que a Sérvia reprimisse as atividades antiaustríacas. A Sérvia concordou com a maior parte das exigências austríacas, mas, em 28 de julho de 1914 — encorajada pela promessa de apoio incondicional caso a Rússia interviesse —, a Áustria declarou guerra à Sérvia. O que poderia ter sido um pequeno conflito se tornou uma bola de neve por força dos tratados de defesa mútua e acabou resultando na Grande Guerra.

Uma Guerra Incontrolável

Um dia após a declaração de guerra, a Áustria bombardeou Belgrado, capital da Sérvia. A Rússia mobilizou suas tropas para defender a Sérvia.

O Kaiser Guilherme II, que desejava obter poder e autoridade para a Alemanha nos assuntos mundiais, recuou ante a perspectiva de guerrear em duas frentes: contra a Rússia e sua aliada, a França, apoiada pela Inglaterra. Mas, em vez de oferecer autonomia para a Alsácia em troca da neutralidade francesa, o que poderia ter limitado o conflito, a Alemanha enviou um ultimato à França, não só exigindo que permanecesse neutra, como também cedesse as estratégicas fortalezas de Toul e Verdun, como garantia de neutralidade, pelo tempo que o conflito durasse. A França respondeu que agiria de acordo com seus próprios interesses. A Inglaterra, então, propôs manter a França neutra se a Alemanha prometesse permanecer neutra em relação à França e à Rússia; a proposta foi mal-entendida no curso de uma conversa por telefone entre o ministro das relações exteriores inglês e o embaixador alemão em Londres, o qual entendeu que a França seria mantida neutra se a Alemanha entrasse em guerra somente contra a Rússia.

Esperando uma guerra apenas em uma frente, o Kaiser tentou deter a mobilização de tropas alemãs a oeste, em direção à França. Mas, no dia 1º de agosto de 1914, o general alemão Von Moltke disse ao Kaiser que modificar os planos reduziria o exército a uma "turba desordenada". No mesmo dia, tropas alemãs cruzaram a fronteira de Luxemburgo e a Alemanha declarou guerra à Rússia.

Os comandantes militares alemães estavam seguindo um antigo projeto militar, o Plano Schlieffen, para flanquear os exércitos franceses através da Bélgica e capturar Paris em seis dias, eliminando a ameaça a oeste antes de mobilizar seu enorme exército. A Grã-Bretanha não teria como enviar tropas a tempo de ajudar a França.

Mas, quando a Alemanha atacou a Bélgica — que vetara a passagem das tropas alemãs por seu território — e declarou guerra à França (3 de agosto), a Grã-Bretanha, honrando um tratado de 1839 no qual prometia proteger a neutralidade belga, declarou guerra à Alemanha (4 de agosto). Atônito, o chanceler alemão Bethmann-Hollweg exclamou então: "A Grã-Bretanha vai guerrear por causa de um pedaço de papel?"

A Rússia também surpreendeu os alemães levando apenas 10 dias para se mobilizar, o que forçou Moltke a dividir seu exército e enviar tropas tanto para o leste como para o oeste.

O ministro de relações exteriores britânico, Sir Edward Grey, ao se dar conta de que a guerra logo envolveria o continente inteiro, comentou: "As lâmpadas estão se apagando em toda a Europa. Não as veremos acesas de novo pelo resto de nossas vidas."

Os Dois Campos

Quando a guerra irrompeu, o mundo se alinhava em dois campos hostis. A Alemanha e a Áustria-Hungria formavam o núcleo das Potências Centrais. A Itália, obrigada a se unir a elas somente no caso de uma guerra defensiva, nos termos da Tríplice Aliança, optou

CAPÍTULO DOIS: A GUERRA PARA ACABAR COM TODAS AS GUERRAS   39

por permanecer neutra logo no início. Durante a frenética crise diplomática de julho de 1914 — quando a Alemanha tentou desestabilizar o controle britânico na Índia incitando uma rebelião no país —, o Império Otomano (Turquia) se aliou às Potências Centrais. Os otomanos controlavam os Estreitos Turcos e o acesso ao Mar Negro, e tinham potencial para isolar a Rússia de seus aliados britânicos e franceses, cortando-lhes as rotas de suprimentos vindos do sul. A Bulgária e os Bálcãs, que dispunham de vantagens estratégicas semelhantes, juntaram-se às Potências Centrais em 1915.

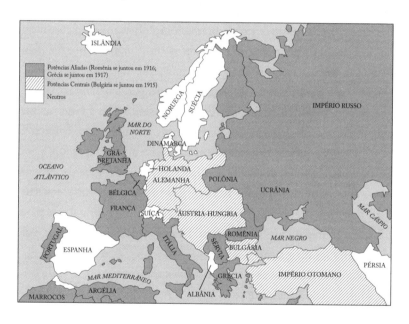

3 Alianças militares na Europa durante a Primeira Guerra Mundial
(1914-8)

No lado oposto, estavam os Aliados, membros da Tríplice Entente — Rússia, França, Grã-Bretanha e suas colônias, juntamente com a Sérvia. O Japão, aliado da Grã-Bretanha desde 1902, uniu-se aos Aliados em agosto de 1914 e logo os ajudou a afundar navios alemães na costa da China, além de ocupar territórios alemães no

Extremo Oriente. A Itália se juntou aos Aliados em abril de 1915, seduzida pela promessa de obter territórios austro-húngaros adjacentes a suas fronteiras. A Romênia se uniu aos Aliados em agosto de 1916. Os Estados Unidos tentaram permanecer neutros, mas entraram na guerra em abril de 1917, ao lado dos Aliados (pág. 48). A Grécia se uniu aos Aliados em julho de 1917. Pela primeira vez na história, um conflito se tornava global, afetando todos os continentes.

SEU PAÍS PRECISA DE VOCÊ!

Homens se congregaram para lutar por seus países, e exércitos profissionais rapidamente se expandiram. A Grã-Bretanha, ao contrário da França, da Alemanha, da Rússia e da Áustria-Hungria, não dispunha de alistamento obrigatório, portanto dependia de voluntários. "Seu País Precisa de Você!" era o slogan no famoso pôster que exibia Lorde Kitchener, Secretário de Estado para a Guerra, que encorajou mais de 1 milhão de jovens entusiasmados para se juntar à Força Expedicionária Britânica. Muitos estavam despreparados para as batalhas, e os "batalhões de companheiros", apinhados de amigos e vizinhos, sofreram grandes baixas. Para manter as metas de alistamento, a Grã-Bretanha introduziu o serviço militar obrigatório para todos os homens com idade entre 18 e 41 anos (até 51 anos nos últimos meses da guerra).

Os impérios francês e britânico alistaram africanos e indianos para lutar pelos Aliados, e os Estados livres associados da Grã-Bretanha (Austrália, Canadá, Nova Zelândia e África do Sul) recrutaram forças próprias para defender os Aliados. Em 1917, o presidente americano Woodrow Wilson reintroduziu o alistamento compulsório nos Estados Unidos.

O serviço militar obrigatório se aplicava apenas aos cidadãos do sexo masculino; contudo, muitas mulheres se alistaram como enfermeiras voluntárias, motoristas de ambulância e médicas. Na pátria, ocuparam empregos deixados pelos homens ou ingressaram em novos, que surgiram nas fábricas de armamentos e munição;

CAPÍTULO DOIS: A GUERRA PARA ACABAR COM TODAS AS GUERRAS

outras contribuíram com o esforço de guerra por meio de obras de caridade.

A FRENTE OCIDENTAL

O confronto que decidiria o curso da história foi travado em muitas frentes, mas particularmente na Frente Ocidental, que compreendia a França e o norte da Bélgica (Flandres). Esse teatro de guerra foi estabelecido logo nos primeiros meses de conflito.

As tropas alemãs que avançavam pela Bélgica encontraram dura resistência e, a caminho da fronteira francesa, elas mataram mais de 6.000 civis belgas. Para as tropas alemãs, cada civil representava uma ameaça em potencial. Visando instilar o medo nos inimigos da Alemanha, vilarejos foram incendiados, civis e padres, executados.

Em 23 de agosto de 1914, os alemães encontraram os Aliados pela primeira vez, representados pela Força Expedicionária Britânica em Mons, na Bélgica, perto da fronteira francesa. Numericamente superior, o exército alemão forçou os britânicos a se retirarem para o rio Marne, a leste de Paris.

A BATALHA DO MARNE

O avanço alemão chegou a cerca de 50 quilômetros de Paris, levando o governo francês a deixar a capital. Os pilotos de reconhecimento franceses detectaram forças sob o comando do general alemão Alexander von Kluck, que, abandonando o Plano Schlieffen, rumavam para leste, e não para oeste (flanqueando Paris), pois perseguiam forças Aliadas que se retiravam na direção do rio Marne. Uma brecha surgiu entre o Primeiro e o Segundo Exército da Alemanha. O general francês Joseph Joffre aproveitou a oportunidade para contra-atacar com o Sexto Exército dos Aliados, em 5 de setembro de 1914, investindo contra o flanco direito das forças de Von Kluck. Então, as reservas francesas na frente ocidental da Lorena foram trazidas às pressas, por trens, até Paris, e depois conduzidas até a frente de batalha, em táxis, de modo a reforçar o Sexto Exército e ajudar a empurrar os alemães para o norte. Após uma semana de combates acirrados, os alemães se entrincheiraram nas proximidades do rio Aisne. A primeira grande batalha deteve o avanço alemão e salvou Paris, mas acarretou mais de 300 mil baixas, total jamais visto em uma guerra. Durante os meses seguintes, ambos os lados tentaram flanquear um ao outro, numa série de batalhas travadas cada vez mais próximas ao Mar do Norte. Essa "Corrida para o Mar" criou uma rede de trincheiras defensivas com 640 quilômetros de extensão, desde a costa de Flandres até a (neutra) Suíça, onde o conflito na Frente Ocidental entrou num impasse que duraria quatro anos.

OS CAMPOS DE FLANDRES

A "Corrida para o Mar" culminou com a devastadora Primeira Batalha de Ypres, no oeste de Flandres (noroeste da Bélgica), entre 19 de outubro e 22 de novembro de 1914. Ambos os lados se posicionaram em trincheiras que se defrontavam, separadas por arame farpado e uma fina faixa de "terra de ninguém". Os soldados defendiam suas posições e lançavam ofensivas, comendo e dormindo em condições estarrecedoras, em meio a lama, piolhos, ratos e temperaturas enregelantes, sob a mira de franco-atiradores, granadas e incursões de surpresa promovidas por comandos. Cada lado tentava transpor as defesas do outro, enquanto fogo de artilharia e rajadas de metralhadoras dominavam os campos de batalha, cada vez mais repletos de mortos. As tropas britânicas, francesas e belgas, embora superadas em número, conseguiram deter o avanço alemão na direção dos portos do Canal da Mancha, vitais para o abastecimento da França e da Bélgica durante a guerra.

Em novembro de 1914, todos os exércitos haviam perdido a autoconfiança. O fracasso em quebrar o impasse significava que a guerra não terminaria antes do Natal, como todos esperavam. Houve um breve alívio: no dia de Natal, soldados de ambos os lados da Frente

CAPÍTULO DOIS: A GUERRA PARA ACABAR COM TODAS AS GUERRAS

Ocidental estabeleceram uma trégua espontaneamente, saindo de suas trincheiras, jogando futebol e confraternizando, em meio à desolação do campo de batalha.

Ypres se tornou o centro de prolongadas batalhas. Na Segunda Batalha de Ypres (22 de abril a 25 de maio de 1915), os alemães usaram o venenoso gás de cloro contra as tropas coloniais francesas e as tropas canadenses. O gás, dispersado pelo vento, penetrava nas trincheiras e tinha um efeito devastador, o que levou os Aliados a desenvolverem suas próprias armas químicas e máscaras antigases.

O gás de mostarda, ainda mais letal, foi usado pelos alemães na Terceira Batalha de Ypres (Batalha de Passchendaele). Travada entre julho e novembro de 1917 num lodaçal criado pelas pesadas chuvas de agosto, essa foi a mais longa e custosa batalha de Flandres, em termos de baixas. Sob o comando do general britânico Douglas Haig, forças britânicas e canadenses ocuparam o devastado vilarejo de Passchendaele, perto de Ypres, uma pequena aquisição se comparada às mais de 850 mil baixas de ambos os lados.

Um soldado-poeta canadense, chamado John McCrae (1872-1918), escreveu:

> *Nos campos de Flandres papoulas veem a luz*
> *Entre as lajes dos túmulos, cruz após cruz,*
> *Que assinalam o nosso descanso; enquanto,*
> *No céu, cotovias cantam seu acalanto,*
> *Que, em meio aos canhões, pouco efeito produz.* *

Frente Oriental e Frente Sul

Ao contrário da Frente Ocidental, a guerra na Frente Oriental não ficou atolada em uma estática batalha de trincheiras. Os russos

---

* *In Flanders fields the poppies blow / Between the crosses, row on row, / That mark our place; and in the sky / The larks, still bravely singing, fly. / Scarce heard amid the guns below.*

atravessaram a fronteira alemã e penetraram na Prússia Oriental em 17 de agosto de 1914, defrontando-se, em Tannenberg, com um exército alemão menor que o seu. Porém, em 26 de agosto, as bem-adestradas tropas alemãs praticamente destruíram todo o Segundo Exército da Rússia, acarretando a rendição de 90 mil soldados e o suicídio do General Alexander Samsonov. Um enorme incremento na autoconfiança alemã.

Mais ao sul, na Galícia,* os russos se saíram melhor, esmagando as forças austríacas em 3 de setembro. Assim como os alemães, os russos ficaram conhecidos por seus brutais ataques a civis, muitos dos quais fugiam à medida que eles avançavam. A grande população de judeus na Galícia sofreu com a aterradora violência das tropas russas.

As Potências Centrais se tornaram cada vez mais dependentes da Alemanha, que, no início de 1915, infligiu sérias derrotas aos russos, na Prússia Oriental, na Polônia, em partes da Letônia e da Lituânia. Os alemães arrancaram a Galícia das mãos dos russos no verão. No outono, as Potências Centrais tomaram a Sérvia, assegurando uma rota de suprimentos terrestre entre o Império Otomano e a Alemanha. Os italianos se uniram aos Aliados em maio, porém a Áustria conseguiu mantê-los imobilizados no sul.

Em junho do 1916, no entanto, a Frente Austro-Húngara desmoronou diante de um ataque do general russo Aleksey Alekseyevich Brusilov na Bielorrússia, na Ucrânia e na Romênia. As baixas foram gigantescas em ambos os lados, e a Romênia foi arrastada para a guerra ao lado dos Aliados.

Em outubro de 1917, a Itália sofreu um desastre na Batalha de Caporetto, diante das forças austríacas e alemãs, e foi humilhada ao final da guerra, quando as promessas de território em suas fronteiras com a Áustria-Hungria não foram honradas (págs. 67-8).

---

* Essa Galícia não deve ser confundida com a comunidade homônima da Espanha, também conhecida como Galiza. A Galícia aqui mencionada é uma região que hoje abrange partes da Ucrânia e da Polônia. Na época, integrava a Áustria-Hungria. (N.T.)

CAPÍTULO DOIS: A GUERRA PARA ACABAR COM TODAS AS GUERRAS

Insucesso em Galípoli

Em março de 1915, para reagir ao impasse na Frente Ocidental, o Primeiro Lorde do Almirantado* Winston Churchill propôs um ataque ao Império Otomano (Turquia), que se alinhara com a Alemanha e a Áustria em 1914. A Campanha de Galípoli (1915-6) teve lugar na estratégica península de Galípoli, no oeste da Turquia, com o objetivo de conquistar Constantinopla, a capital. Todavia, os navios britânicos e franceses que entraram no estreito de Dardanelos foram afundados por minas. A invasão por terra, realizada por tropas australianas, neozelandesas, indianas, francesas e senegalesas, chegou a um impasse diante da inexpugnável defesa turca, heroicamente comandada por Mustafa Kemal Atatürk. Um desastre para os Aliados, cujas forças foram evacuadas em janeiro de 1916. Churchill perdeu o posto governamental logo depois, embora viesse a ascender novamente anos mais tarde, liderando a Grã-Bretanha na Segunda Guerra Mundial. Para os turcos otomanos, a vitória formou a base para o surgimento da moderna Turquia ao final da guerra, sob o governo de Kemal Atatürk (pág. 57).

Revolta Árabe

Os britânicos obtiveram mais sucesso no Oriente Médio, com a desestabilização dos territórios árabes em poder do Império Otomano. A Revolta Árabe, de junho de 1916 a outubro de 1918, encorajada pelos britânicos em troca da promessa de independência árabe ao final da guerra, foi liderada pelo Príncipe Faiçal, do clã hachemita, com o reforço de rebeldes treinados em guerrilhas pelo oficial da inteligência britânica T. E. Lawrence ("Lawrence da Arábia"), que conquistara a confiança dos árabes. Forças montadas em camelos sabotaram ferrovias e capturaram o porto de Ácaba em julho de 1917. Em dezembro do mesmo ano, a cidade santa de Jerusalém caiu diante das tropas britânicas comandadas pelo General Edmund Allenby;

---

* Cargo correspondente ao de Ministro da Marinha. (N.T.)

Damasco foi tomada pelos Aliados em outubro de 1918, o que pôs fim à guerra no Oriente Médio. Mas, em vez de apoiar Faiçal na criação de um Estado árabe independente, britânicos e franceses dividiram o Oriente Médio entre si: Palestina e Jordânia ficaram com os britânicos; Síria e Líbano, com os franceses. Como uma pequena compensação, Faiçal foi nomeado rei do Iraque.

A promessa não cumprida de um Estado árabe independente e a promessa posterior, por parte da Grã-Bretanha, de estabelecer uma pátria na Palestina para os judeus, estão na raiz dos conflitos entre árabes e israelenses que se verificariam mais tarde (pág. 137).

Vive la France!

Em 1916, tendo reforçado suas posições, as Potências Centrais planejavam impor uma vitória a oeste, mediante um pesado ataque contra a cidade fortificada de Verdun, na França, 200 quilômetros a leste de Paris. O episódio teve início no dia 21 de fevereiro de 1916 com um forte ataque de artilharia, quando os alemães utilizaram 1.200 armas pesadas e grande quantidade de bombas. Em 24 de fevereiro, a infantaria alemã avançou, atravessou as rasas trincheiras francesas e tomou o forte Douaumont. Mas parou por lá. Em vez de se retirarem de Verdun, os franceses detiveram o avanço alemão, numa luta que simbolizou uma verdadeira batalha pela própria França. Reforços e suprimentos eram trazidos para as tropas francesas por uma única estrada, a Voie Sacrée (Via Sagrada), alimentando repetidos ataques e contra--ataques. Até que, finalmente, em outubro de 1916, os franceses recuperaram os territórios. A batalha patriótica para salvar a França teve um custo elevado: mais de 700 mil baixas, entre franceses e alemães.

O Pandemônio se Instala

No mesmo ano, para aliviar a pressão sobre os franceses em Verdun, os britânicos e as tropas de seus Estados livres associados lideraram um ataque no rio Somme, norte da França, no que foi, em grande parte, um plano do General Douglas Haig. Durante oito dias, a partir

CAPÍTULO DOIS: A GUERRA PARA ACABAR COM TODAS AS GUERRAS

de 23 de junho de 1916, os Aliados martelaram a linha alemã usando mais de 2.000 armas; em 1º de julho, os britânicos e a infantaria da Commonwealth* "ultrapassaram os limites", num assalto às trincheiras inimigas. Os alemães, entretanto, emergiram de profundos abrigos subterrâneos e trituraram os soldados que avançavam com fogo de metralhadoras. A luta prosseguiu durante meses, com ambos os lados utilizando gases venenosos e os britânicos mobilizando seus primeiros tanques. Em novembro de 1916, os britânicos obtiveram pequenos ganhos territoriais (12 quilômetros) ao custo de mais de 1 milhão de soldados mortos ou feridos. Foi a pior batalha da guerra em termos de perdas comparadas a ganhos.

GUERRA NO MAR

Os Aliados confiavam em seu domínio dos mares para embarcar suprimentos e tropas. Embora a guerra fosse travada principalmente em terra, a Alemanha tentou desafiar a supremacia naval britânica na Batalha da Jutlândia (maio de 1916). O confronto no Mar do Norte entre encouraçados munidos de artilharia pesada terminou com uma estratégica vitória britânica, que deixou a marinha alemã severamente desfalcada.

Em fevereiro de 1915, os submarinos alemães, conhecidos como *U-boots*,** receberam ordens de atacar navios mercantes, uma forma de retaliação contra um bloqueio naval no Mar do Norte, que estava prejudicando a chegada de suprimentos à Alemanha. Os Aliados perderam muitos navios em ataques de *U-boots*, mas neutralizaram a ameaça posicionando os navios mercantes em meio a comboios bem defendidos e desenvolvendo armamentos antissubmarinos, como

---

* Palavra inglesa que pode ser traduzida como Comunidade de Nações, mas, em geral, mantida na forma original em quase todas as línguas europeias, inclusive o português. Seus membros, chamados de Estados livres associados (*dominions*), são, em sua maioria, antigas colônias da Grã-Bretanha. (N.T.)

** Abreviatura de *Unterseeboot*: barco submarino, em alemão. O *U-boot* também é bastante conhecido por seu nome anglicizado: *U-boat*. (N.T.)

bombas de profundidade e equipamentos como o hidrofone — que detectava a presença de submarinos nas imediações.

As mortes de civis causadas por ataques de *U-boots* despertaram uma onda internacional de ódio contra a Alemanha e foram, em grande parte, responsáveis pela entrada dos Estados Unidos na guerra.

LUSITANIA E ZIMMERMAN

No dia 7 de maio de 1915, um submarino alemão atacou o RMS *Lusitania, navio britânico que zarpou de Nova York rumo a Liverpool, transportando suprimentos para a Grã-Bretanha, assim como 1.900 passageiros. A Alemanha alegou que a embarcação também transportava armas. Um torpedo afundou o navio. No ataque, morreram 1.200 passageiros, entre os quais 128 americanos. Um clamor público nos Estados Unidos deu início a uma pressão que levou a Alemanha a cessar os ataques. No entanto, em 1917, frustrada com o impasse na Frente Ocidental, a Alemanha reiniciou os ataques indiscriminados de* U-boots, *decisão que acirrou ainda mais a opinião pública norte-americana contra a Alemanha.*

Os Estados Unidos ficaram novamente indignados em 1917, quando o serviço de inteligência britânico interceptou o Telegrama Zimmerman, enviado pela Alemanha ao México, que propunha uma aliança entre ambos os países se os Estados Unidos entrassem na guerra, sob a promessa de devolver ao México territórios perdidos no Texas, Novo México e Arizona. A reação popular persuadiu o presidente Woodrow Wilson, em 6 de abril de 1917, a levar os Estados Unidos à guerra, ao lado das Potências Aliadas.

ÚLTIMOS ESTERTORES

Em 1918, durante a última fase da guerra, lutas internas na Rússia tsarista, incluindo a Revolução de 1917 (pág. 58), retiraram os russos do conflito, pondo fim à luta no leste. Esse fato liberou as tropas

CAPÍTULO DOIS: A GUERRA PARA ACABAR COM TODAS AS GUERRAS 49

alemãs na Frente Oriental e deslocou o foco da guerra para a Frente Ocidental. Com uma ameaça de revolução se propagando pela Europa, tornou-se cada vez mais importante, para as nações do Velho Continente, obter uma vitória rápida e decisiva. Em 21 de março de 1918, o comandante de operações, General Erich Ludendorff, deflagrou a "Ofensiva da Primavera", uma série de ataques com o propósito de acabar com o impasse e a guerra. Ludendorff planejou isolar os britânicos e, então, quebrar a resistência do exército francês: "Temos de atacar o mais cedo possível... antes que os americanos possam lançar forças poderosas na balança. Temos de vencer os britânicos." Com 500 mil soldados adicionais, trazidos da Frente Russa, gases venenosos e poderosos explosivos, os alemães atacaram os Aliados, enquanto seus *stosstruppen* (soldados de elite escolhidos a dedo e treinados para se infiltrar na retaguarda inimiga) irromperam entre as linhas francesas e britânicas sob um denso nevoeiro e avançaram 65 quilômetros. Paris apareceu na mira dos canhões de longo alcance alemães, mas suas linhas de suprimento estavam sobrecarregadas. Os Aliados, então, coordenaram um contra--ataque, "A Ofensiva dos Cem Dias" (18 de julho a 11 de novembro), sob o comando do general francês Ferdinand Foch e com o bem--vindo reforço de tropas americanas.

Em meados do verão, as ofensivas de Ludendorff em Flandres e na França já haviam arrefecido e, no outono, o depauperado exército alemão estava praticamente desmantelado, com motins entre os marinheiros e protestos da população alemã, que sentia os efeitos do bloqueio.

Os socialistas já planejavam uma revolução quando o Kaiser Guilherme II abdicou, em 9 de novembro. O motim convencera os políticos de que o Kaiser não podia mais governar, pois o povo alemão o culpava pela derrota, pela escassez e pela fome. Finalmente, os comandantes do exército deixaram de apoiá-lo, e o Kaiser partiu para o exílio, na neutra Holanda.

Para uma delegação enviada pelo novo governo socialista alemão, Foch ditou os termos do armistício, assinado num vagão de trem na floresta de Compiègne, no norte da França, em 11 de novembro de 1918. O armistício pôs fim aos combates, mas seis meses adicionais foram necessários para a implementação do acordo de paz, o que ocorreu com a assinatura do Tratado de Versalhes, em 28 de junho de 1919 (págs. 53-4).

GUERRA EM ESCALA INDUSTRIAL

Apesar da vitória das Potências Aliadas e das celebrações subsequentes, as perdas e os prejuízos foram devastadores, tanto para os Aliados como para as Potências Centrais; segundo as estimativas, foram cerca de 40 milhões de baixas, entre militares e civis, com 15 milhões de mortes. Foi uma guerra sem precedentes em seu impacto e morticínio — a primeira guerra de exércitos gigantescos equipados com armas de destruição em massa —, tornada possível pelas mudanças tecnológicas introduzidas pela Revolução Industrial. Os soldados se viam diante de artilharia pesada, metralhadoras, morteiros, granadas, explosivos e gases tóxicos. Muitos morreram atingidos por fogo de artilharia, estilhaços de granadas ou doenças contraídas nas condições degradantes em que se encontravam. Tanques e aeroplanos estrearam em combate, e o primeiro bombardeio aéreo de cidades, promovido pelos zepelins (dirigíveis alemães), estimulou o desenvolvimento de armas antiaéreas. Surgiram os primeiros ases da aviação, inclusive o "Barão Vermelho", que abateu 80 aeronaves inimigas. Em 1918, os primeiros aviões bombardeiros já estavam atacando alvos por trás das linhas inimigas. Em solo pátrio, a propaganda, difundida pelos meios de comunicação de massa, mobilizava nações e estimulava o ódio contra os oponentes.

O otimismo do século 19 e do início do século 20 — inclusive a crença de que o império da lei poderia resolver disputas — foi destroçado pela realidade da Primeira Guerra Mundial. À medida que a contenda se tornava cada vez mais desesperada, envolvendo não só exércitos, mas também populações inteiras, a moral e as convenções de guerra foram abandonadas em favor de uma soturna luta pela sobrevivência.

Capítulo Três

Quando a Poeira Baixa

A Europa foi profundamente marcada pela Primeira Guerra Mundial. Países competindo por territórios, poder industrial, recursos e mercados provocaram uma devastação no continente. Os sobreviventes, que presenciaram a civilização cair na selvageria, esperavam que o armistício assinado em novembro de 1918 e o tratado de paz de Versalhes, firmado em junho de 1919, trouxessem paz duradoura.

Enquanto a Europa começava a se reconstruir, Estados Unidos e Japão assumiam a primazia econômica mundial, reforçada pelo comércio durante a guerra. Mas a economia americana, que bombara nos "Frenéticos Anos Vinte", desmoronaria em 1929, o que resultou na Grande Depressão e em muitos anos nos quais o desemprego em massa e as inquietações sociais se alastraram pelo mundo.

Perdendo a fé na democracia e no capitalismo, alguns países se voltaram para formas totalitárias de governo. O fascismo, que teve origem na Itália, via as democracias liberais como obsoletas e se opunha às novas ideias propagadas pelo socialismo e pelo comunismo. O Estado italiano era governado por um partido único, o Partido Nacional Fascista, cujo líder era o ditador Benito Mussolini. Para o partido, a disciplina, os deveres para com o país, a lei e a ordem estavam acima dos valores liberais, da democracia e dos direitos individuais. Na Alemanha, uma forma de socialismo estatal rejeitava as liberdades individuais e promovia a eficiência econômica em benefício do Estado: o nacional-socialismo, ou nazismo.

Em meio à estagnação econômica, a República de Weimar, estabelecida após a Primeira Guerra Mundial, fracassou sob o ônus das reparações de guerra, dívidas e hiperinflação, deixando a porta aberta para os nazistas. Adolf Hitler, o Führer (líder), planejava expandir novamente a Alemanha. Encontrando um aliado natural na Itália de Mussolini, levou o mundo a um segundo conflito global, ainda mais amplo que o primeiro.

No entanto, apesar dos distúrbios econômicos e políticos dos anos entreguerras, grandes progressos ocorreram na ciência, entre eles a proposição, em 1927, de que o universo teve origem de uma grande explosão, o "Big Bang", bilhões de anos atrás, que criou a matéria a partir de energia. Essa teoria ainda é a melhor explicação para fenômenos como as micro-ondas cósmicas de fundo. Muitos dos empreendimentos científicos realizados durante a Segunda Guerra Mundial foram direcionados ao desenvolvimento de armas, mas também a avanços nos tratamentos médicos.

Amargo Regresso

Na décima primeira hora do décimo primeiro dia do décimo primeiro mês de 1918, os canhões na Frente Ocidental pararam de atirar e a Grande Guerra terminou. No silencioso ambiente de um campo de batalha, um cabo Aliado relatou: "Os alemães saíram de suas fronteiras, inclinaram-se diante de nós e foram embora. Foi isso. Não havia nada com que celebrarmos, exceto biscoitos." As comemorações em Paris, Londres e Nova York foram mais animadas. O sangrento conflito de quatro anos havia terminado.

Entretanto, muitos soldados, cansados de guerra e desnutridos, jamais chegariam em casa; um vírus mortal se espalhou pelos campos de batalha, contaminando as tropas e as populações em geral. Nos dois anos compreendidos entre 1918 e 1920, uma pandemia de gripe reclamou a vida de 50 a 100 milhões de pessoas — nesse último caso,

CAPÍTULO TRÊS: QUANDO A POEIRA BAIXA

cerca de 5% da população mundial da época, correspondente a seis vezes mais do que o número de mortes provocadas pela Primeira Guerra Mundial. Na neutra Espanha, seus efeitos foram precisamente divulgados, ao contrário dos relatos de guerra politizados de outros lugares, o que valeu à pandemia o apelido de gripe espanhola. Foi a epidemia mais devastadora da história moderna.

ALEMANHA HUMILHADA

No armistício de novembro de 1918, a Alemanha aceitou as bases para uma paz justa propostas pelo presidente americano Woodrow Wilson, os "Quatorze Pontos", que contemplavam um mundo em que as nações resolveriam suas diferenças mediante negociações, sem guerras e sem a necessidade de intervenção americana, e no qual as pessoas de mesma nacionalidade teriam autonomia para governar a si mesmas. Não haveria a construção de impérios. Armamentos e exércitos seriam reduzidos, tratados secretos deixariam de existir e uma Liga das Nações seria constituída para manter a paz mundial.

Tendo em mente esses ideais, as Potências Aliadas, representadas por Woodrow Wilson, o primeiro-ministro britânico David Lloyd George e o primeiro-ministro francês Georges Clemenceau, passaram oito meses negociando a formalização dos termos a serem apresentados à Alemanha. Tais termos foram estipulados no Tratado de Versalhes e assinados pela República de Weimar (sucessora do Império Alemão) em 28 de junho de 1919, na Galeria dos Espelhos do Palácio de Versalhes, nos arredores de Paris.

O Tratado de Versalhes, entre outros tratados, repartiu os territórios das derrotadas Potências Centrais, os impérios da Alemanha, Áustria-Hungria e Otomano. A responsabilidade pelo início da guerra foi colocada sem rodeios sobre os ombros da Alemanha, que deveria pagar reparações financeiras aos países prejudicados. A Alsácia-Lorena foi devolvida à França; outros territórios alemães passariam a ser administrados pela Grã-Bretanha, Bélgica, Dinamarca, Tchecoslováquia, Polônia e Rússia. Três novos Estados foram criados: Estônia, Lituânia e Letônia. A Alemanha teve o exército reduzido a 100 mil homens, a marinha, a seis navios e nenhum submarino, e a força aérea foi abolida. A área oeste da Renânia (na parte ocidental da Alemanha) tornou-se zona desmilitarizada, exceto por um exército dos Aliados, que a ocuparia durante 15 anos. A Alemanha foi proibida de se unir novamente à Áustria.

Clemenceau e o povo francês viram o tratado como uma justa punição para a Alemanha, mas o marechal francês Ferdinand Foch o considerou extremamente leniente, prevendo uma nova geração de alemães em busca de vingança pela derrota. "Isso não é uma paz", disse ele, "é um armistício de vinte anos." Woodrow Wilson e Lloyd George temiam que o tratado fosse duro demais, enxergando uma vantagem em manter a Alemanha operacional para que se tornasse um bastião contra o alastramento do comunismo (pág. 58).

A população alemã, por sua vez, detestou o tratado. Um jornal alemão, o *Deutsche Zeitung*, comentou: "Nunca nos deteremos até recuperarmos o que merecemos." Economicamente, o tratado representou uma corrente no pescoço da Alemanha.

A ambiciosa Liga das Nações de Wilson se tornou realidade, mas o Congresso dos Estados Unidos, temendo a perda da soberania americana e desejando manter-se fora dos assuntos europeus, votou contra o ingresso nessa iniciativa internacional, que acabaria fracassando em seu objetivo de manter a paz mundial.

CASA DE HABSBURGO EM RUÍNAS

Os Habsburgo, que governaram o Sacro Império Romano-Germânico dos séculos 15 ao 18, governavam o Império Austríaco desde 1804. Em 1867, para acomodar as potências emergentes da Europa e responder ao nacionalismo húngaro, a família real criou uma monarquia dualista com a Hungria, formando o Império Austro-Húngaro. Esse grande império multiétnico, que já se vira às voltas com numerosos conflitos internos, teria agora de arcar com o preço da aliança com a Alemanha durante a Primeira Guerra Mundial.

CAPÍTULO TRÊS: QUANDO A POEIRA BAIXA

Devastado ao final do conflito, o império se fragmentou em diversos estados-nações. Os tchecos lutavam havia anos contra seus dirigentes austríacos, da mesma forma que os eslovacos lutavam contra os húngaros. Assim, não foi nenhuma surpresa quando grandes contingentes de tchecos e eslovacos desertaram para o lado russo durante a guerra, nem quando um novo Estado, formado pelos dois povos e chamado de Tchecoslováquia, declarou independência, em 1918.

Da mesma forma, na extremidade sul do império, uma união de croatas, sérvios e eslovenos proclamou independência, recebendo, logo depois, a adesão da Sérvia e formando o Reino dos Sérvios, o qual, em 1919, foi rebatizado como Império da Iugoslávia.

A monarquia Habsburgo chegava ao fim e, em 11 de novembro de 1918, dia do armistício, Carlos I, o último dirigente do Império Austro-Húngaro, dissolveu a monarquia, assim como sua aliança com a Hungria, fazendo da Áustria uma república. Os Aliados assinaram acordos de paz diferentes com a Áustria e a Hungria, concedendo territórios dessas nações aos novos Estados da Tchecoslováquia e da Iugoslávia, à restabelecida República da Polônia e aos reinos da Romênia e da Itália. Tanto a Áustria como a Hungria tiveram de pagar reparações aos países vizinhos prejudicados pela guerra.

A atual União Europeia, com sua livre movimentação de bens, capitais e mão de obra, tem sido vista como uma ressurreição do modelo multinacional austro-húngaro e seu precedente, o Sacro Império Romano-Germânico. E muitos dos Estados que emergiram após o colapso da Áustria-Hungria agora são membros da União Europeia.

Colapso Otomano

Em 1918, o Império Otomano, de população predominantemente muçulmana, encontrava-se esfacelado. Centralizado na Anatólia (região situada na atual Turquia), era um império multiétnico com territórios no sudeste da Europa e no Oriente Médio. Em 1908, a chamada "Revolução dos Jovens Turcos", uma associação entre exilados turcos, funcionários públicos e oficiais do exército, transformou o sultão em uma figura decorativa e prometeu reformas democráticas, mas entregou apenas um governo autoritário. O império desmoronou pouco antes do armistício de 1918.

O tratado de paz de 1920 (Tratado de Sèvres), redigido pelas Potências Aliadas, repartiu os territórios otomanos entre os Aliados, com a Grécia assumindo a costa do mar Egeu. Os cristãos armênios, massacrados pelo Império Otomano, teriam seu próprio Estado. Os territórios árabes sob domínio otomano, conforme um acordo secreto (Sykes-Picot) firmado em 1916, seriam transformados em mandatos* da Grã-Bretanha (que controlaria Iraque, Transjordânia e Palestina) e da França (que controlaria Síria e Líbano) até que a população desses territórios estivesse preparada para governar a si mesma. Essa não era a independência imediata pela qual o Príncipe Faiçal iniciara uma revolta no deserto contra seus senhores otomanos — encorajado pelo coronel britânico T. E. Lawrence (pág. 45). Enfurecidos com os termos do tratado, os hachemitas e Faiçal lutaram contra a França pela independência da Síria, mas acabaram perdendo. O Príncipe Faiçal, banido da Síria, aceitou o papel de governante-cliente do Iraque, novo território administrado pela Grã-Bretanha.

Um obstáculo adicional para a independência árabe estava na Declaração Balfour, de 1917, dirigida pelo ministro das relações exteriores da Grã-Bretanha, Arthur Balfour, à comunidade judaica britânica. No documento, ele se comprometia a apoiar a pretensão dos sionistas (nacionalistas judeus) de estabelecer um Estado judeu na Terra Santa (Palestina), o que daria início à mais espinhosa disputa internacional existente até os dias de hoje: o conflito árabe-israelense (pág. 137).

A divisão dos territórios otomanos efetuada pelos Aliados ignorou as diferenças étnicas, sectárias e tribais, e teria grave repercussão.

---

* Mandato: delegação concedida pela Liga das Nações para que determinadas potências administrassem alguns territórios ou países. (N.T.)

CAPÍTULO TRÊS: QUANDO A POEIRA BAIXA

O Iraque, por exemplo, foi constituído pela fusão de três províncias otomanas dominadas por xiitas, sunitas e curdos. Desde então, o país tem passado por disputas territoriais, uma guerra contra o vizinho Irã, conflitos internos entre muçulmanos xiitas e sunitas, uma campanha genocida contra a rebelde população curda e uma controversa invasão capitaneada pelos Estados Unidos e seus aliados. Até hoje, a região permanece instável.

A TURQUIA RENASCE DAS CINZAS

O governo otomano assinou o Tratado de Sèvres, porém os turcos, liderados pelo herói de Galípoli, Mustafa Kemal Atatürk (pág. 45), o rejeitaram. Atatürk alegou que o povo muçulmano turco precisava de uma pátria no território da Anatólia, tradicionalmente turco. Seu propósito foi obstruído pelas reivindicações gregas sobre o oeste da Anatólia e o leste da Trácia, e pela ocupação britânica de Constantinopla (atual Istambul), o que provocou uma guerra de independência, em 1919, entre as forças nacionalistas turcas, sob o comando de Atatürk, e a Grécia. A vitória de Atatürk estabeleceu a moderna República da Turquia, em 1923, com sede em Ankara e Atatürk como presidente.

Durante a guerra, a Turquia assegurou o nordeste da Anatólia, com o apoio do regime bolchevista russo (pág. 58). A ação foi condenada por Woodrow Wilson, presidente dos Estados Unidos, que idealizava um Estado independente na região para os cristãos armênios, como compensação pelo tratamento que haviam recebido dos otomanos. Mas não houve intervenção internacional, o que levou Atatürk a comentar: "Pobre Wilson, ele não entendeu que uma fronteira não defendida por baionetas e soldados não pode ser defendida por nenhum outro princípio."

O incidente descortinou a fragilidade da Liga das Nações. As fronteiras turcas foram finalmente estabelecidas pelo Tratado de Lausanne, de 1923. A Armênia foi anexada pelos bolchevistas russos em 1922, tornando-se parte da União Soviética.

4 Europa e Oriente Médio após os acordos de paz de 1918 e a formação da República Turca, em 1923

Rússia Radical

Em fevereiro de 1917, uma fusão letal de perdas de guerra, privações e falta de estruturas de governo que integrassem as classes trabalhadoras explodiu numa revolução. O Tsar Nicolau II, cujas concessões reformistas após a revolução de 1905 jamais se materializaram (págs. 29-30), foi responsabilizado pelo infortúnio na Rússia e alijado do poder. Em seu lugar, um governo provisório de "democracia revolucionária" continuou a lutar no conflito global. Mas outras ideias revolucionárias radicais que se alastravam acarretaram uma terceira revolução, em outubro de 1917, dessa vez comandada pelos bolcheviques, que derrubaram o governo provisório de Petrogrado (São Petersburgo, rebatizada como Petrogrado em 1914 pelo governo imperial, como Leningrado pelos comunistas, em 1924, e novamente como São Petersburgo em 1991, após o desmoronamento da União Soviética).

CAPÍTULO TRÊS: QUANDO A POEIRA BAIXA

Membros do Partido Bolchevista (comunista), ala revolucionária do Partido Operário Social-Democrata Russo, viam-se como a vanguarda das classes trabalhadoras e lhes prometiam alimentos, terras, controle das fábricas e voz ativa na elaboração das leis. O partido usava inescrupulosamente a polícia secreta conhecida como "Cheka" para eliminar seus inimigos. O líder do partido, Vladimir Lenin, exilado pelos tsaristas por suas atividades revolucionárias, retornou a Petrogrado em 1917, com a ajuda da Alemanha, que o via como uma força desestabilizadora para a Rússia. Conforme previsto, Lenin acabou com a vontade de lutar dos russos e, em março de 1918, quatro meses após a revolução, negociou a paz com a Alemanha, consumada num tratado firmado na cidade de Brest--Litovsk (hoje parte da Belarus).

Os bolcheviques decidiram assumir o controle de antigos territórios do Império Russo, o que levou a uma prolongada e catastrófica guerra civil, na qual os bolcheviques assassinaram o tsar russo e sua família, para impedir que fossem resgatados pelo Exército Branco — coligação de forças anticomunistas que lutavam contra o Exército Vermelho dos bolcheviques. No entanto, apesar da intervenção estrangeira, que incluiu tropas americanas, o Exército Vermelho saiu vitorioso e estabeleceu, em 1922, a União das Repúblicas Socialistas Soviéticas (União Soviética ou URSS), um Estado federalista de partido único, com sede em Moscou, governado pelo Partido Comunista Russo.

Os ideais políticos da URSS tinham como base aqueles apregoados por Lenin e Karl Marx, economista do século 19: buscar uma transição do capitalismo para um Estado socialista governado pela majoritária classe trabalhadora, uma "ditadura do proletariado". Os bolcheviques se dedicariam a estabelecer o comunismo na União Soviética e apoiar as revoluções comunistas em outros lugares. Seu objetivo final era o "comunismo puro", uma sociedade sem classes e sem Estado, caracterizada pela posse comum dos meios de produção e distribuição. Na realidade, o Estado socialista bolchevique se organizou pela estrita adesão às decisões do Partido Comunista, uma ditadura que alegava representar os interesses da classe trabalhadora.

Relatos sobre o novo Estado e a nova sociedade na Rússia insuflaram muitos trabalhadores ao redor do mundo e aterrorizaram os governos do Ocidente (particularmente o dos Estados Unidos). Embora a Rússia tenha lutado como um dos Aliados na Primeira Guerra Mundial, esses se recusaram a reconhecer o governo bolchevique e não convidaram a Rússia para as conversações de paz em Versalhes.

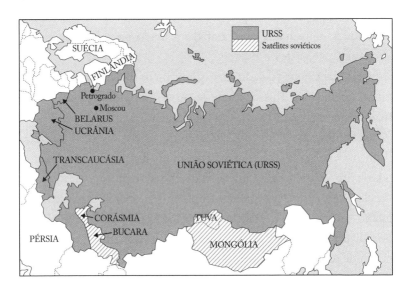

5 Rússia Soviética, Transcaucásia, Ucrânia e Belarus se unem para formar a URSS em 1922

Punho de Ferro de Stalin

Lenin morreu em 1924. Sedento por poder, o secretário-geral do Partido Comunista Russo, Joseph Stalin, usou manipulações políticas para desacreditar o rival, Leon Trotsky, líder do Exército Vermelho, que foi exilado e depois assassinado por um agente soviético.

CAPÍTULO TRÊS: QUANDO A POEIRA BAIXA 61

Em 1928, já sozinho no controle, Stalin iniciou o primeiro de uma série de planos econômicos quinquenais destinados a fomentar a indústria soviética, implantando metas para os operários das fábricas e criando fazendas coletivas, desapropriando, para tal, as terras dos cúlaques (agricultores proprietários de terras). O fracasso da medida provocou fome generalizada na Ucrânia na década de 1930. Stalin governou como ditador até a sua morte, em 1953, destruindo inimigos políticos e deportando milhões de pessoas para campos de trabalhos forçados.

Embora as políticas de Stalin tenham desenvolvido a indústria e originado um poder militar que rivalizaria com o dos Estados Unidos durante a Guerra Fria (pág. 142), seu governo repressor não conseguiu garantir direitos civis essenciais para a população. O apelo do comunismo russo diminuiu, gradualmente, na segunda metade do século 20. A vida sob um regime totalitário de um só partido, como o de Stalin, inspirou o escritor inglês George Orwell a escrever *1984*, seu romance distópico, publicado em 1949.

CHINA REPUBLICANA

A China iniciou o século 20 em crise. A dinastia imperial Qing era impopular, decadente e corrupta. Seus antes orgulhosos funcionários públicos haviam se tornado incompetentes; o país não sabia como lidar com os europeus nem com o Japão, seu vizinho ressurgente. A humilhação da Rebelião dos Boxers em 1899-1901 (pág. 22) estimulou o crescimento do nacionalismo.

Os nacionalistas eram representados por Sun Yat-sen, segundo o qual a decadente linhagem imperial chinesa precisava se modernizar e industrializar o país, a fim de se equiparar ao Ocidente.

Yat-sen influenciou os revolucionários que depuseram a dinastia Qing em 1911-2 e se tornou o primeiro presidente da República da China em 1912, pondo fim a 4.000 anos de governo imperial. Liderou, então, o Partido Nacionalista Chinês (conhecido também como Kuomintang ou KMT) na luta contra os clãs guerreiros que dominavam grande parte do território chinês, em um turbulento período de guerras e instabilidade.

O MOVIMENTO DE 4 DE MAIO

Quando a China se juntou aos Aliados na Primeira Guerra Mundial, em 1917, enviando mais de 100 mil soldados para ajudá-los na luta, foi por entender que os territórios chineses cedidos à Alemanha, como a província costeira de Shandong, seriam devolvidos ao país no final da guerra. Intelectuais chineses, incitados pelas ideias do presidente americano Woodrow Wilson, nutriam grandes esperanças a respeito do Tratado de Versalhes (págs. 53-4). Mas tais esperanças foram frustradas quando, ao final da guerra, o território de Shandong foi transferido para o Japão, rival da China.

O fracasso da delegação chinesa em influenciar o Tratado de Versalhes desencadeou uma revolta em 4 de maio de 1919, quando mais de 3.000 estudantes fizeram manifestações em Pequim. Protestos apoiados por intelectuais, comerciantes e trabalhadores patriotas se espalharam pelas cidades, dando origem ao Novo Movimento Cultural, uma radicalização do nacionalismo chinês aliada ao boicote de produtos japoneses. O historiador Theodore H. von Laue classificou o movimento como "o primeiro levante patriótico em massa na China". Foi um momento decisivo, que conduziria a China rumo ao comunismo.

A CHINA SE TORNA VERMELHA

Desapontado com o tratamento concedido pelo Ocidente à China, Sun Yat-sen se voltou para os comunistas bolcheviques, que ajudaram o governo do KMT a formar um exército e estabelecer maior controle político. Em 1923, os soviéticos encorajaram a formação de uma aliança entre o KMT e o então pequeno Partido Comunista Chinês, no intuito de combater os clãs guerreiros chineses.

CAPÍTULO TRÊS: QUANDO A POEIRA BAIXA

Yat-sen morreu em 1925. O sucessor, Chiang Kai-shek, liderou uma ofensiva militar e política para unificar o país e derrotar os clãs guerreiros (a Expedição do Norte), ampliando, em 1927, a influência do Kuomintang. Comandante militar sem escrúpulos, Kai-shek decidiu então se voltar contra seus aliados, ordenando que suas forças massacrassem os ativistas comunistas em Xangai. Os sobreviventes fugiram para áreas remotas no sul, enquanto Kai-shek fazia do KMT o governo oficial do Estado unificado. Mas ele havia acendido o pavio de uma guerra civil entre as suas fileiras nacionalistas e o Partido Comunista Chinês.

A dura postura política de Kai-shek representava uma ameaça às ambições militaristas e expansionistas do Japão, que, em 1931, invadiu a importante província chinesa da Manchúria sob um falso pretexto, nela instalando um dirigente fantoche, Puyi, herdeiro da antiga família imperial chinesa. Enquanto o Japão intimidava a China e lutava pelo controle regional, Kai-shek prosseguiu em sua campanha contra os comunistas chineses. Em 1934, para escapar à captura pelas tropas de Kai-shek, Mao Tse-tung, futuro secretário-geral da República Popular da China, liderou as forças comunistas em um trajeto de mais de 10 mil quilômetros entre a província de Jiangxi, no sul do país, e a remota província de Shaanxi, no nordeste, jornada que ficou conhecida como "A Longa Marcha". Foi um feito heroico, que transformou Mao Tse-tung em uma figura proeminente no comunismo chinês.

Uma invasão maciça do Japão, em 1937, obrigou o KMT e os comunistas chineses a colaborarem temporariamente, lutando em uma frente única na Segunda Guerra Sino-Japonesa.* Diante do avanço das tropas japonesas, o governo de Kai-shek decidiu abandonar Xangai. Em dezembro de 1937, a violência dos japoneses contra mulheres e prisioneiros de guerra em Nanquim, capital do

---

* A Primeira Guerra Sino-Japonesa (1894-5) foi travada pelo controle da Coreia. (N.T.)

KMT, estarreceu o mundo ("O Massacre de Nanquim"). O feroz e contínuo ataque japonês induziria a China a entrar na Segunda Guerra Mundial, unindo-se aos Aliados quando os Estados Unidos, em dezembro de 1941, declararam guerra ao Japão.

Após a Segunda Guerra Mundial e a rendição do Japão em 1945, o KMT e os comunistas reiniciariam sua guerra civil. Porém, apesar da ajuda dos Estados Unidos, os nacionalistas do KMT acabaram derrotados pelos comunistas em 1949, fugindo para a ilha de Taiwan. Mao Tse-tung fez sua entrada triunfal em Pequim, anunciando, então, que o novo governo estava "sob a liderança do Partido Comunista Chinês".

Sementes de uma Superpotência

Enquanto os países europeus se esforçavam para reequilibrar suas economias e sua infraestrutura após a Primeira Guerra Mundial, os Estados Unidos desfrutavam de acelerado crescimento, alimentado pelos pagamentos dos empréstimos (com juros) feitos durante a guerra para os Aliados e pelos lucros obtidos pelas indústrias americanas. Os Estados Unidos da década de 1920 já demonstravam o potencial econômico que os tornaria a maior potência do mundo, no final do século.

A expansão das indústrias americanas de armamentos e munições — graças às encomendas obtidas durante a guerra — estendeu-se para equipamentos elétricos, produtos químicos, automóveis e indústrias correlatas, com o auxílio de elevadas tarifas de importação que limitavam a competição estrangeira (políticas praticadas de 1921 a 1929 pelos presidentes Harding e Coolidge). Clientes e mercados negligenciados pelos europeus foram arrebatados pelas empresas americanas, que haviam desenvolvido métodos para levantar financiamentos com a venda de ações na Bolsa de Valores.

A expansão industrial coincidiu com uma explosão de consumo, estimulada pelo sistema de prestações, que permitia às pessoas tomar dinheiro emprestado para a compra de automóveis, telefones,

CAPÍTULO TRÊS: QUANDO A POEIRA BAIXA

rádios, eletrodomésticos e outros bens para a família que poupavam não só tempo, mas também trabalho. O talento para a propaganda, adquirido na época da guerra, foi transferido para o mercado da publicidade. O número recorde de automóveis vendidos nos EUA na década de 1920 aumentou a demanda por estradas decentes e mais numerosas (os Estados Unidos tinham poucas estradas antes do século 20), o que ensejou um esforço grandioso direcionado à construção de rodovias, muitas vezes fazendo uso do financiamento privado.

O jazz, na música, e o charleston, na dança, tornaram-se populares nos "Frenéticos Anos Vinte"; a Era do Jazz foi o assunto do romance *O Grande Gatsby*, de F. Scott Fitzgerald, publicado em 1925, que se tornou um sucesso de vendas. Em 1924, o jazz e a cultura americana já se espalhavam pela Europa, onde os padrões de vida estavam melhorando, graças a projetos de habitação social para as classes trabalhadoras e a um pequeno mas crescente percentual de casas equipadas com eletricidade, água encanada e sistema de esgoto. A saúde pública também melhorava, em decorrência da descoberta, nas primeiras décadas do século, de nutrientes que preveniam doenças, notadamente as vitaminas. As mulheres, liberadas da silhueta imposta pelos espartilhos, passaram a usar saias até pouco abaixo dos joelhos e roupas ao estilo *garçonne*, baseadas nos modelos desenhados pela estilista francesa Coco Chanel. Garotas rebeldes de cabelos curtos, surgidas dessa *revolução*, ganharam fama e ficaram conhecidas como *flappers* ("melindrosas", no Brasil).

Em 1928, o novo presidente dos Estados Unidos, o republicano Herbert Hoover, anunciou um "triunfo sobre a pobreza". Mas, a despeito de sua confiança, a economia apresentava problemas: agricultores e afro-americanos, excluídos dos benefícios dos anos de crescimento, enfrentavam adversidades; as mulheres ganhavam pouco, em uma sociedade desigual, e os Estados Unidos estavam à beira de um colapso no mercado de ações que mergulharia o mundo numa derrocada econômica sem precedentes.

A QUEBRA DE WALL STREET

Em 29 de outubro de 1929, a bolha financeira estourou em Nova York, provocando uma crise global do capitalismo. O mercado mal regulado viu os preços das ações despencarem, enquanto os vendedores, em pânico, tentavam vendê-las o mais rápido possível. Em um só dia, em Wall Street, foram vendidas mais de 16 milhões de ações. Bancos fecharam as portas, levando empresas privadas à falência e causando o sumiço dos investidores. Os empréstimos de guerra feitos pelos Estados Unidos à Grã-Bretanha e à França foram cancelados e barreiras protecionistas bloquearam a importação de produtos estrangeiros, propagando os efeitos da crise por todo o mundo.

Foi o início da Grande Depressão, um período de desemprego em massa que afetou os países mais industrializados. Entre 1929 e 1933, o comércio mundial despencou, em dólares, para 65% do valor precedente. Em Nova York, trabalhadores desempregados, furiosos, perambulavam pelas ruas, oferecendo-se para trabalhar a um dólar por semana. Tempestades de areia nas Grandes Planícies, em 1934, trouxeram mais infortúnios e levaram milhares de agricultores de Oklahoma a se deslocarem para o oeste, migração que foi descrita por John Steinbeck em As vinhas da ira.

Amplamente responsabilizado pela crise, o presidente Hoover foi substituído em 1932 pelo candidato democrata Franklin D. Roosevelt, que prometeu um "novo trato" ou "novo acordo", o famoso New Deal, *para o povo americano, o qual envolvia reformas, obras públicas e o fim da impopular Lei Seca (proibição do consumo de álcool). A Grande Depressão estendeu-se até o final da década de 1930, quando a Segunda Guerra Mundial aqueceu a indústria e criou empregos.*

A DEMOCRACIA NUM SOBE E DESCE

Após o desastre da Primeira Guerra Mundial, o presidente Woodrow Wilson encorajou os países da devastada Europa a adotarem um

CAPÍTULO TRÊS: QUANDO A POEIRA BAIXA

governo democrático e multipartidário, de ampla base política, que concedesse voz ao povo nas decisões governamentais. A República da Turquia, que emergira das cinzas do Império Otomano, nasceu com uma Constituição parlamentar (pág. 57), e os países novos ou restaurados que surgiram das ruínas da Áustria-Hungria, da Alemanha e das áreas fronteiriças à Rússia adotaram sistemas de democracia parlamentar representativa, como Tchecoslováquia, Iugoslávia, Polônia, Áustria, Hungria, Finlândia, Estônia, Letônia e Lituânia. A parte sul da Irlanda, independente desde 1922 após uma guerra feroz, criou sua própria república democrática, o Estado Livre Irlandês. Porém, apesar do alastramento da democracia, os governos enfrentavam sérios problemas em países onde os ideais democráticos competiam com a violência, a repressão e a manipulação efetuada por elites poderosas, além da desestabilização provocada pela guerra e pelo fracasso econômico.

As democracias mais bem-sucedidas ampliaram direitos (págs. 108-9). Com seu trabalho durante a guerra, as mulheres haviam granjeado respeito; e o voto feminino, uma reivindicação de militantes no início do século, era agora uma proposta aceitável para a maioria dos países do Ocidente. A classe trabalhadora, que lutara bravamente por seus países, exigia os mesmos direitos das elites. Em 1919, a pressão pública para que todos tivessem direito a voto introduziu o sufrágio universal na Alemanha, na Holanda e na Polônia; em 1928, na Grã-Bretanha; em 1934, na Turquia; em 1944, na França; e em 1945, na Itália. Nos Estados Unidos, as mulheres puderam votar a partir de 1920. Entretanto, muitos afro-americanos, embora tivessem obtido direitos constitucionais em 1870, na prática, mediante diversas restrições, foram impedidos de votar até 1965.

A Cara Feia do Fascismo

Na década de 1920, a democracia desmoronou na Itália, substituída por uma nova ideologia política de extrema-direita conhecida como fascismo. Os fascistas eram nacionalistas que rejeitavam o comunismo e defendiam a completa subserviência ao Estado (totalitarismo).

Defendiam também um governo militarista e elitista, em detrimento da democracia e do liberalismo.

Os pequenos ganhos territoriais oferecidos à Itália no Tratado de Versalhes (págs. 53-4) eram vistos como uma parca retribuição para uma guerra dispendiosa. A instabilidade econômica provocou uma crise social (o *Biennio Rosso*, ou "Biênio Vermelho", 1919-20), da qual emergiram os fascistas, que prometiam deter o avanço do comunismo e trazer glória à Itália. O grupo foi fundado pelo carismático Benito Mussolini, apoiado pelos Camisas Negras, sua violenta milícia. Mussolini glorificava a luta armada. Em 1932, escreveu: "O fascismo não crê nem na possibilidade nem na utilidade de uma paz perpétua. Só a guerra leva ao máximo de tensão todas as energias humanas e marca com um sinal de nobreza os povos que têm a coragem de encará-la." Ele rejeitava o "internacionalismo doentio" de Lenin e Woodrow Wilson. A partir de 1925, promovido a salvador da pátria, Mussolini passou a liderar um Estado totalitário e monopartidário, cuja política externa expansionista resultou na invasão da Etiópia, em 1935. A Itália e a Alemanha, oponentes durante a Primeira Guerra Mundial, desenvolveram um vínculo por sua luta contra o comunismo e o socialismo, formalizado no Pacto de Aço, de 1939, que comprometia ambos os países a se apoiarem mutuamente no caso de uma guerra.

Na década de 1930, a reação ao avanço do socialismo chegou à Espanha, país seriamente afetado pela Grande Depressão (pág. 66). Neutra durante a Primeira Guerra Mundial, a Espanha se tornara uma república, após a fuga do Rei Alfonso XIII, em 1931, devido à vitória de um projeto de esquerda, antimonarquista, para o governo do país. A luta política que se seguiu culminou, em 1936, com um golpe militar organizado por nacionalistas de direita, liderados pelo General Francisco Franco, transformando-se em uma guerra civil no país politicamente dividido. O ditador Franco e os nacionalistas eram apoiados pela Alemanha nazista e pela Itália fascista, além dos monarquistas, da Igreja Católica, do exército e dos latifundiários. Os nacionalistas entendiam que estavam defendendo as tradições espanholas contra

CAPÍTULO TRÊS: QUANDO A POEIRA BAIXA

um governo de tendência socialista, que começara a tomar terras de aristocratas, deslocava a educação do âmbito da Igreja Católica para instituições laicas e estava reduzindo o poder do exército.

Do outro lado, encontravam-se os republicanos ("legalistas"), leais ao governo de tendência socialista, apoiados por Rússia e México, além do amparo extraoficial da França, que temia acabar cercada por potências fascistas caso a Espanha caísse nas mãos dos nacionalistas. Socialistas e comunistas de todo o mundo foram atraídos à luta contra o fascismo. Os republicanos sentiam que estavam defendendo um governo eleito. George Orwell escreveu, em 1943, sobre suas experiências com os republicanos: "Aqui estamos nós, soldados de um exército revolucionário, defendendo a democracia contra o fascismo, lutando numa guerra que é *sobre* algo, e o detalhe de nossas vidas é justamente tão sórdido e degradante quanto poderia ser numa prisão, para não falar num exército burguês." Os nacionalistas, mais bem-equipados, venceram a luta. A partir de 1939, Franco governaria a Espanha por 36 anos.

A ditadura franquista reprimiu implacavelmente qualquer oposição e terminou com a morte de Franco, em 1975. Com o apoio do sucessor político de Franco, o Rei Juan Carlos I, o país fez a transição para a democracia, adotando uma monarquia constitucional. Estátuas e placas memoriais em homenagem a Franco foram removidas, e a Espanha, hoje, condena os assassinatos e as violações de direitos humanos que ocorreram durante a ditadura.

A República de Weimar em Crise
No final da Primeira Guerra Mundial, a Alemanha cambaleava após o choque da derrota. Sua população, à beira da fome, estava rebelada, e a economia do país se encontrava em ruínas. Uma revolta de marinheiros, em Kiel, deflagrou a "Revolução de Novembro" (novembro de 1918 a agosto de 1919), um motim incruento que resultou na abdicação do Kaiser e na implantação de um governo democrático.

A nova e democrática República da Alemanha teve a difícil tarefa de reconstruir uma nação devastada. A necessidade de reformas foi reconhecida pelo partido majoritário no Reichstag (Parlamento), o Partido Social-Democrata. Mas quantas mudanças seriam necessárias? Os socialistas radicais, inclusive a ativista Rosa Luxemburgo, queriam uma "ditadura do proletariado", embora não nos moldes do partido único bolchevista (págs. 60-1). Luxemburgo e seu grupo de revolucionários (os espartaquistas) fundaram o Partido Comunista Alemão em dezembro de 1918, o que ensejou entreveros, em Berlim, entre os espartaquistas e o Freikorps, milícia composta por nacionalistas de direita e soldados calejados, recém-chegados dos campos de batalha, que odiavam os comunistas e os políticos de esquerda. Em meio ao caos, o governo abandonou a capital e estabeleceu o parlamento na cidade de Weimar (da qual deriva o nome "República de Weimar", que perdurou de 1919 a 1933). Os espartaquistas acabaram presos. Luxemburgo, juntamente com outros líderes esquerdistas, ficaram à mercê do Freikorps e foram assassinados.

O governo de Weimar foi duramente criticado quando assinou o Tratado de Versalhes, em junho de 1919 (págs. 53-4). O jornalista de direita Wolfgang Kapp, apoiado pelo exército e pelo Freikorps, aproveitou a oportunidade para ocupar Berlim, em março de 1920 (o *Putsch* de Kapp),* com planos de estabelecer um governo nacionalista de direita. O governo democrático foi salvo quando 12 milhões de trabalhadores organizaram uma greve geral, paralisando o país.

Em 1923, a Alemanha de Weimar quebrou, deixando de pagar suas reparações de guerra, o que resultou na ocupação do vale do rio Ruhr — uma região industrial — por tropas francesas e belgas. Isso afetou ainda mais a moeda alemã, o marco, e a poupança dos alemães de classe média. Um pãozinho que custava 250 marcos, no início do ano, passou a custar 200 bilhões em novembro. Os alemães se viram forçados a guardar seus salários em malas; o papel-moeda se desvalorizou tanto que era usado para acender fogueiras.

---

* *Putsch*: palavra já incorporada ao português (na forma original), que significa "tentativa de golpe de Estado com vistas a tomar o poder". (N.T.)

CAPÍTULO TRÊS: QUANDO A POEIRA BAIXA

Os problemas gerados pela hiperinflação deram origem a polarização política e revoltas, rapidamente sufocadas pelo exército. A extrema-direita na Baviera, apoiada por paramilitares e liderada pelo ex-soldado Adolf Hitler, planejou marchar sobre Berlim para proclamar uma ditadura, como Mussolini fizera na Itália, em 1922, com seus Camisas Negras. Ao não obter apoio do exército, Hitler se contentou com uma pequena revolta numa cervejaria de Munique, em 8 de novembro de 1923 (o *Putsch* da Cervejaria), que se desintegrou sob o fogo dos policiais. Hitler foi preso e a crise amainou.

A moeda alemã se estabilizou, e os "Frenéticos Anos Vinte", de 1924 a 1929, foram economicamente produtivos. A democracia parlamentar e a república sobreviveram, mas a Quebra de Wall Street estava logo adiante (pág. 66).

A ASCENSÃO DO NAZISMO

Quando a Grande Depressão de 1929 mergulhou a Alemanha em uma nova crise econômica, Hitler estava preparado para se levantar. Após o *Putsch* da Cervejaria de 1923, em Munique, ele fora sentenciado a cinco anos de prisão, tendo cumprido menos de nove meses. Enquanto estava encarcerado, escreveu *Mein Kampf* (*Minha luta*), suas memórias políticas, obra na qual expressou sua antipatia pelos judeus e pelo comunismo. Durante os primeiros anos da República de Weimar, tornou-se figura exponencial no Partido Nacional Socialista dos Trabalhadores Alemães, o Partido Nazista. Com o apoio dos paramilitares nazistas das SA,* propagou uma campanha de terror contra o comunismo. As SA usavam uniformes marrons, inspirados nos Camisas Negras da Itália, e foram recrutadas do Freikorps e de outros grupos violentos que apoiavam o nazismo.

---

* Abreviatura de *Sturmabteilung*, termo que significa "Destacamento Tempestade", sendo às vezes traduzido como "Tropa de Assalto", embora raramente seja traduzido. Os compêndios de quase todas as línguas europeias, inclusive o português, dão preferência às iniciais (sempre sem pontos). (N.T.)

Os nazistas ganharam popularidade em janeiro de 1933 e, com a ajuda de seu Ministro da Propaganda Joseph Goebbels, Hitler se tornou chanceler da Alemanha, liderando um governo de coalizão. Um mês depois, o Reichstag foi destruído pelo fogo. Hitler responsabilizou os comunistas e usou o incêndio como pretexto para assumir poderes de emergência, abolindo o Reichstag. O governo democrático, odiado por Hitler, deixou de existir na Alemanha. Em março do mesmo ano, a polícia nazista enviou comunistas, socialistas e sindicalistas para o primeiro campo de concentração nazista, em Dachau, onde foram usados como mão de obra escrava.

As reparações de guerra haviam agrilhoado a economia da Alemanha desde o Tratado de Versalhes, que Hitler havia muito considerava uma humilhação. Em 1933, aumentou extraordinariamente o número de seus seguidores ao suspender futuros pagamentos. Apertando mais o torniquete nazista, encorajou seus correligionários a queimar itens culturais não alemães, inclusive livros escritos por judeus e por autores esquerdistas. Em 1934, seus opositores políticos foram assassinados, inclusive os líderes das SA (na "Noite das Facas Longas"), num complô destinado a obter o apoio do exército a Hitler.

Quando o presidente alemão Paul von Hindenburg morreu, em 1934, Hitler se autoproclamou o Führer (líder) do Terceiro Reich (ou Terceiro Império), que os nazistas acreditavam estar construindo. (O primeiro império fora o Sacro Império Romano-Germânico, na Idade Média; e o segundo fora o Império Alemão, de 1871 a 1918.) Nos anos que transcorreram até 1939, muitos alemães achavam que a ditadura de Adolf Hitler trouxera mudanças econômicas positivas. Hitler usava a propaganda para se apresentar como o salvador da pátria, obtendo apoio fanático às suas medidas para a eliminação de todos os inimigos do Reich.

A leal e temida força paramilitar de segurança nazista, trajada de preto para se diferenciar das SA, as SS (*Schutzstaffel*, ou "Esquadrão de Proteção"), concretizavam cruelmente os desejos do Führer. Dirigidas pelo extremado racista Heinrich Himmler, essas tropas de

CAPÍTULO TRÊS: QUANDO A POEIRA BAIXA

soldados políticos (Polícia do Estado), assumiram o controle das forças policiais. Os membros da Waffen-SS (SS Armada) eram recrutados para unidades militares especiais, enquanto a Allgemeine SS (SS Geral) controlava a polícia e os assuntos "raciais". Em 1939, 250 mil SSs já haviam sido disciplinados no sentido do ódio racial e da lealdade ao Führer.

Enquanto a Alemanha se rearmava, em flagrante violação ao Tratado de Versalhes, Adolf Hitler garantia ao mundo que o fortalecimento militar tinha somente propósitos defensivos. Berlim sediou os Jogos Olímpicos de 1936, mas, nos bastidores, Hitler se ocupava em materializar planos secretos para a expansão da Alemanha e em estender seu belicismo. "A Alemanha precisa de mais espaço para a preservação e o crescimento do povo alemão", disse ele a seus generais mais graduados. O outro objetivo maior do Führer era um acerto de contas final com os judeus.

Guerra Total

A Segunda Guerra Mundial envolveu 61 países e cerca de três quartos da população global. Exigiu a máxima capacidade econômica e industrial, assim como os esforços de todos os setores dos principais participantes. A oportuna descoberta dos antibióticos, a penicilina especificamente, efetuada, por acaso, pelo bacteriologista escocês Alexander Fleming, em 1928, contribuiu para salvar a vida de muitos soldados feridos e sujeitos a infecções, mas, ainda assim, as baixas foram sem precedentes: cerca de 25 milhões de soldados, marinheiros e aviadores foram mortos; e ainda mais civis — entre 30 e 60 milhões — perderam a vida. Além disso, a Segunda Guerra Sino-Japonesa, conflito que se tornou parte da guerra mundial, provocou a morte de 10 a 25 milhões de civis chineses e mais de 4 milhões de militares chineses e japoneses.

Ao término das hostilidades, surgiu um novo mapa geopolítico: o comunismo dominava a Europa Oriental, os Estados Unidos haviam se tornado uma superpotência e a influência da Europa Ocidental no assuntos globais diminuíra.

Preparação do Palco da Guerra
Em 1936, Hitler executou seu primeiro ato de expansão alemã, assumindo o controle da Renânia, região industrial no oeste da

CAPÍTULO QUATRO: GUERRA TOTAL

Alemanha, que estava sob ocupação dos Aliados desde o fim da Primeira Guerra Mundial. Dois anos mais tarde, numa violação do Tratado de Versalhes (págs. 53-4), foi realizada a *Anschluss*, a anexação político-militar da Áustria (país de língua alemã onde Hitler nasceu). A Liga das Nações, fundada no final da Primeira Guerra Mundial, mostrou-se incapaz de deter a Alemanha, enquanto os Aliados, liderados por Grã-Bretanha e França, esperavam evitar mais uma guerra em larga escala mediante uma política de apaziguamento. Ignorando, mais uma vez, as condições impostas pelo Tratado de Versalhes, a Alemanha se rearmou, reforçando seu exército e investindo em novos tanques e aeronaves. Isso gerou temporariamente um rápido incremento na economia global, pois a Grã-Bretanha, os EUA e a URSS correram para se equiparar à Alemanha, desenvolvendo potencial militar próprio.

Hitler queria que todas as nações europeias falantes de alemão fizessem parte da Alemanha, e deixou claro que pretendia anexar os Sudetos, uma região da Tchecoslováquia cujos habitantes, em sua maioria, falavam alemão.* Em setembro de 1938, a Grã-Bretanha e a França assinaram com a Alemanha o Acordo de Munique, que permitia a Hitler anexar o território sob o compromisso de não fazer novas exigências expansionistas. Neville Chamberlain, o primeiro-ministro britânico, anunciou que o acordo trouxera "paz para nossa época"; contudo, poucos meses depois, Hitler já estava exigindo o porto livre de Danzig, no mar Báltico (hoje Gdansk), e parte da Polônia, país que se recusava a ceder qualquer metro de seu território.

As Alianças Tomam Forma

Alemanha e Itália formaram uma aliança, pela primeira vez, em 1936: o Eixo Roma-Berlim, que foi reforçado pelo Pacto de Aço, em maio de 1939. Em agosto, a Alemanha firmou o inesperado Pacto

---

* Após a Segunda Guerra Mundial, os tchecos expulsaram da área quase todos os falantes de alemão. Muitos foram mortos. (N.T.)

de Não Agressão com a União Soviética, pois Hitler e Stalin, o líder russo, conspiravam para dividir a Polônia. Em setembro de 1940, o Japão se juntou à Aliança do Eixo, após assinar o Pacto Tripartite entre Alemanha e Itália.

França e Polônia eram aliadas desde 1921; em 1939, a Grã-Bretanha concordou em apoiar a Polônia com uma aliança militar formal. Portanto, quando Hitler invadiu a Polônia, em 1º de setembro de 1939, a Grã-Bretanha declarou guerra à Alemanha.

BLITZKRIEG

Hitler se preparara bem. O exército alemão, às vésperas da guerra, totalizava 2,5 milhões de homens e contava com cinco divisões de tanques Panzer; sua força aérea (a Luftwaffe) possuía mais de 1.000 aviões de combate e bombardeios. Quando o Exército Vermelho soviético invadiu a Polônia pelo leste, em 17 de setembro de 1939, a desigualdade de forças tornou inevitável a derrota da Polônia, que caiu em 6 de outubro. Esse seria o padrão para os avanços alemães na primeira parte da guerra. A eficaz máquina de guerra alemã, usando modernos equipamentos mecanizados e dispondo da proteção aérea fornecida pela Luftwaffe, empregou a tática da *Blitzkrieg* (guerra-relâmpago) para penetrar, como um rolo compressor, nos territórios da Bélgica, Holanda, Noruega, Dinamarca e Luxemburgo. Nenhum desses países podia se equiparar militarmente, nem de longe, com o Terceiro Reich. O exército holandês nem mesmo dispunha de tanques.

A QUEDA DA FRANÇA

Em contraste com a *Blitzkrieg*, a França mantinha seu grande e bem-equipado exército por trás da Linha Maginot, um complexo de fortificações que ia dos Alpes até a fronteira belga, perto de Luxemburgo.

CAPÍTULO QUATRO: GUERRA TOTAL 77

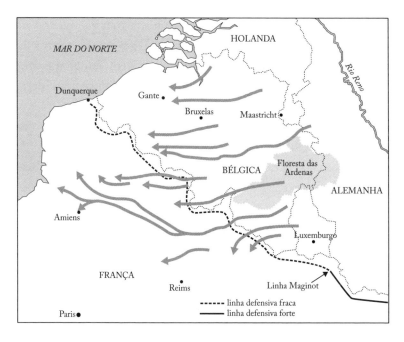

6 O avanço da Alemanha até a França, atravessando a Bélgica

O recrutamento militar na Grã-Bretanha teve início antes de a guerra eclodir; assim, uma Força Expedicionária Britânica estava estacionada junto aos exércitos francês e belga para enfrentar os alemães no início de maio de 1940, enquanto esses abriam caminho até a França. Foi quando ocorreu a primeira falha no plano de batalha dos Aliados: a Linha Maginot não se mostrou uma barreira significativa, pois os Panzers alemães avançaram pela floresta das Ardenas, considerada impenetrável pelos franceses, que, por isso, deixaram-na praticamente sem defesa. Seguidos pela infantaria mecanizada, os Panzers dividiram as Forças Aliadas, encurralando algumas no litoral. Quando a Itália entrou na guerra, ao lado dos alemães, em junho de 1940, os nazistas precisaram de apenas seis semanas para conquistar completamente a França. Um movimento chamado França Livre, encabeçado pelo General Charles de Gaulle, que se encontrava na Grã-Bretanha, organizou a resistência da França contra o governo colaboracionista francês, sediado na cidade de Vichy e tutelado pelos nazistas. Tal governo fora formado pelo Marechal Philippe Pétain, herói de guerra em Verdun que pretendia poupar a França dos horrores sofridos na Primeira Guerra Mundial.

A GUERRA SECRETA

Os membros da Resistência Francesa e outros *partisans** provinham de todas as classes sociais. Muitos líderes de diversos movimentos de resistência desempenhariam um papel importante na política pós-guerra, como Josip Tito, por exemplo, que se tornou ditador da Iugoslávia.

Era uma vida perigosa para espiões e *partisans*: as SS (guarda de elite do partido nazista) geralmente os executavam quando os capturavam e ainda praticavam bárbaros atos de atrocidade contra eles. Após o assassinato do graduado oficial das SS Reinhard Heydrich, na Tchecoslováquia, em 1942, as SS executaram mais de 200 pessoas no vilarejo de Lídice.

Partisans armados articularam uma guerra de guerrilhas contra os alemães por toda a Europa.

Formas comuns de resistência incluíam assassinatos, sabotagens e revoltas, como o Levante do Gueto de Varsóvia, em 1943. Em agosto de 1944, a Resistência Francesa se revoltaria contra a ocupação alemã de Paris, o que contribuiria para a libertação da capital no mesmo mês. A resistência passiva incluiu protestos políticos na Bulgária, impedindo a deportação da população judaica do país, juntamente com operações tartaruga, que retardaram a logística nas redes ferroviárias após a invasão Aliada da Europa, em 1944. Simplesmente escondendo rádios, passando mensagens ou informando os movimentos das tropas

---

* *Partisans*: milicianos que se opunham à ocupação estrangeira. Durante a Segunda Guerra Mundial, diversos países ocupados pela Alemanha abrigaram *partisans,* entre eles a França, onde esse termo foi cunhado. (N.T.)

CAPÍTULO QUATRO: GUERRA TOTAL

alemãs, milhares de cidadãos comuns dos países ocupados prestaram ajuda aos movimentos de resistência.

Espiões e agentes secretos saltaram de paraquedas por trás das linhas inimigas para abastecer os movimentos de resistência ou para obter informações vitais. Alguns dos equipamentos fornecidos eram tão fantásticos quanto os exibidos nas histórias de James Bond, como, por exemplo, bombas para serem colocadas dentro de ratos mortos.

A EVACUAÇÃO DE DUNQUERQUE

Os tanques e a infantaria mecanizada de Hitler se mostravam irrefreáveis. Em maio de 1940, encurralaram a Força Expedicionária Britânica na cidade costeira de Dunquerque, no norte da França. Mas, em vez de mandar que avançassem, Hitler segurou suas tropas, ordenando que a Luftwaffe bombardeasse as tropas Aliadas no solo. Esse breve alívio permitiu que a Real Força Aérea* defendesse as forças terrestres britânicas, dando-lhes tempo para pedir a ajuda de civis.

Marinheiros, que iam de adolescentes a avós, operando uma flotilha de "pequenos navios" (na verdade, barcos de pesca, barcos salva-vidas e iates), atravessaram o Canal da Mancha repetidas vezes, trazendo soldados britânicos, franceses e belgas das praias de Dunquerque. Foi um triunfo na derrota: a maioria dos soldados foi resgatada, embora o grosso de seus equipamentos tenha sido deixado para trás. A Grã-Bretanha e seu império estavam sós na luta contra os nazistas.

A BATALHA DA GRÃ-BRETANHA

Em 10 de maio de 1940, Winston Churchill se tornou primeiro-ministro britânico, após a renúncia de Chamberlain. Churchill liderou o país nos dias mais sombrios, pois, em julho, teve início, nos

---

* Também muito conhecida por suas iniciais na língua inglesa: RAF, de *Royal Air Force*. (N.T.)

céus, a Batalha da Grã-Bretanha (também conhecida como Batalha da Inglaterra). No princípio, a Luftwaffe bombardeava apenas alvos militares. Depois, em setembro, a blitz foi iniciada, com ataques a Londres e outras cidades. Hermann Göring, comandante da Luftwaffe, declarara que seus aviões limpariam o caminho para uma invasão da Grã-Bretanha, mas estava enganado. Embora amplamente superada em número, a Real Força Aérea e seus aliados acabaram tornando os ataques da Luftwaffe custosos demais para serem mantidos com a intensidade inicial. Assim, em outubro, Hitler abandonou os planos de invasão. A defesa da Grã-Bretanha efetuada pela RAF foi um dos momentos-chave da guerra. Churchill elogiou a RAF em seu famoso discurso: "Nunca tantos deveram tanto a tão poucos."

As incursões aéreas continuaram ao longo da guerra, embora, em 1941, o foco da Luftwaffe tenha se voltado para os campos de batalha que se haviam aberto na URSS. Para a Grã-Bretanha, sem tropas na Europa, os bombardeios aéreos eram o único meio disponível para destruir alvos militares ou industriais do inimigo, mas os bombardeios convencionais eram imprecisos e perigosos: atingiam poucos alvos e as perdas eram muitas. Um novo tipo de guerra aérea foi então proposto pelo Marechal Sir Arthur "Bombardeiro" Harris: o bombardeio por área, hoje conhecido como tapete de bombas.

A ideia de Harris foi testada na primavera de 1942, envolvendo mais de 1.000 aviões, e destruiu uma área de 2,4 quilômetros quadrados na cidade de Colônia, com uma perda de apenas 39 aeronaves para os aviões de combate inimigos ou foguetes terra-ar.

Indo a Pique e Pondo a Pique

Muito antes de os soldados britânicos e alemães se encontrarem nos campos de batalha, seus marujos infligiam uns aos outros tantos estragos quanto possível na Batalha do Atlântico. Em 3 de setembro de 1939, dois dias após a invasão da Polônia, um submarino alemão afundou o transatlântico *Athenia*, matando 117 pessoas, entre

CAPÍTULO QUATRO: GUERRA TOTAL

passageiros e tripulantes. Desde então, os navios britânicos passaram a viajar em comboios protegidos.

A Alemanha alcançou um feito sensacional em outubro de 1939, quando o submarino *U-47* penetrou na base naval britânica em Scapa Flow* e torpedeou o encouraçado *Royal Oak*, matando 833 homens. A Marinha Real retaliou em dezembro, danificando seriamente o navio de guerra *Graf Spee*, que avançou com dificuldade até Montevidéu, no Uruguai, onde seu capitão o afundou, para que não caísse em poder dos Aliados. Parte dos destroços ainda pode ser vista nas proximidades do porto.

Ambos os lados espalharam minas na sua costa, com o propósito de formar bloqueios, enquanto os encouraçados, dotados de grandes canhões, brincavam de gato e rato uns com os outros pelos mares. Os Aliados acabaram perdendo toneladas de carregamentos para os *U-boots*. Em setembro de 1940, a Marinha Real ganhou um reforço de peso, quando os EUA transferiram 50 destróieres para a Grã-Bretanha em troca do direito de utilizar bases militares nos domínios britânicos ao redor do mundo. No ano seguinte, um Contrato de Arrendamento formal foi firmado entre os Estados Unidos e o Reino Unido, no sentido de permitir que aviões, tanques e canhões americanos fossem emprestados ou alugados aos Aliados. O presidente americano Roosevelt se referia aos Estados Unidos como o "arsenal da democracia".

Os *U-boots* caçavam em "matilhas", usando mensagens codificadas nas máquinas Enigma para transmitir informações sobre as posições e o poder de fogo dos navios Aliados, bem como ordens de ataque. Seu impacto foi devastador, até que uma das Enigma caiu em poder dos Aliados em 1941, e os quebradores de códigos reunidos em Bletchley Park**, liderados pelo genial Alan Turing,

---

* Braço de mar localizado nas Ilhas Orkney, Escócia. (N.T.)
** Bletchley Park é o nome de uma mansão situada na cidade de Milton Keynes, no condado de Buckinghamshire, sul da Inglaterra. (N.T.)

decifraram as mensagens. O fato colocou os comboios britânicos em vantagem, conseguindo evitar os *U-boots* enquanto a marinha os perseguia. Em maio de 1943, os Aliados obtiveram supremacia no Atlântico. Depois que a Alemanha invadiu a URSS, a guerra naval se concentrou no oceano Ártico, por onde os Aliados tentavam levar armas para a União Soviética.

O Avanço Nazista É Congelado

Após ser bloqueado no Canal da Mancha pela RAF, Hitler dirigiu sua atenção para os Bálcãs e para os territórios mais a oeste. Países como a Bulgária se juntaram ao Eixo, que compreendia Alemanha, Itália e Japão; outros países, como Grécia e Iugoslávia, foram conquistados. Então, com a Operação Barbarossa, deflagrada em junho de 1941, Hitler se voltou contra a sua antiga aliada (pois o Pacto de Não Intervenção entre a Alemanha e a URSS sempre fora uma medida temporária) e enviou para a União Soviética 4 milhões de soldados, a maior força invasora já vista na história. Tinha seus motivos: o comunismo era inimigo natural do nazismo; a filosofia nazista considerava os russos e todos os eslavos gente inferior; era preciso abrir espaço para os arianos nas áreas da União Soviética ocupadas pelos nazistas — para isso, os russos eram privados de alimentos até morrer; e, é claro, a Alemanha precisava desesperadamente dos recursos naturais da URSS.

No início, a *Blitzkrieg* funcionou. Descrevendo movimentos de pinça, os alemães isolaram tropas soviéticas em grandes bolsões. No início de dezembro, já haviam tomado as cidades de Kiev, na Ucrânia, e Cracóvia, na Polônia. Sitiavam Leningrado e estavam a apenas 30 quilômetros de Moscou, quando o inverno russo congelou o avanço. Mais bem-adaptado ao clima, o Exército Vermelho se recompôs e deu início a bem-sucedidos contra-ataques, empurrando as forças do Eixo para longe de Moscou. Hitler, no entanto, não quis aceitar a retirada tática que seus conselheiros lhe haviam recomendado.

CAPÍTULO QUATRO: GUERRA TOTAL

A BATALHA DE STALINGRADO

Em junho de 1942, Hitler desfechou duas novas ofensivas: contra a região do Cáucaso e contra a importante cidade industrial de Stalingrado (hoje Volgogrado). A batalha foi travada de rua a rua e de prédio a prédio, com os desesperados defensores sendo empurrados até uma estreita faixa de terra à margem do rio Volga. Entretanto, com suas linhas de suprimentos esticadas demais, o exército alemão sofria pesadas perdas.

Foi quando o Exército Vermelho surpreendeu Hitler, lançando um ataque em duas frentes a partir dos territórios adjacentes, rompendo os frágeis flancos alemães e cercando as forças nazistas que se encontravam em Stalingrado. Após dois meses sob uma temperatura congelante e em estado de inanição, os alemães desobedeceram às ordens recebidas e se renderam.

Quase 2 milhões de soldados morreram, foram capturados ou desapareceram na Batalha de Stalingrado; as baixas russas entre os civis foram estimadas em 40 mil vidas. Hitler viu essa derrota como uma enorme humilhação; porém, mais importante que isso, a vitória soviética pôs um ponto-final no avanço nazista. A batalha foi um divisor de águas na guerra: o momento em que a maré virou a favor dos Aliados. A partir de então, o Exército Vermelho avançou e os nazistas recuaram. Em 5 de julho de 1943, as duas forças iniciaram, em Kursk, a maior batalha de tanques da história; uma vez mais, os soviéticos saíram vitoriosos. E não pararam mais até entrar em Berlim, quase um ano mais tarde.

Caçando a Raposa do Deserto

No início da guerra, a Grã-Bretanha controlava as passagens marítimas estratégicas do Mediterrâneo: Gibraltar, na extremidade oeste, e o Canal de Suez, a leste. No final de 1940, com ambições territoriais na África, a Itália atacou o Egito a partir da Líbia, então sua colônia.

O ataque foi um desastre e, no início de 1941, quase todos os territórios italianos na África haviam sido tomados pela Grã-Bretanha, que também fez 130 mil prisioneiros de guerra. Em 5 de maio de 1941, o então imperador da Etiópia, Haile Selassie, que estava no exílio desde que a Itália conquistara seu país, em 1936, retornou à Etiópia. Ao término de sua conquista dos Bálcãs e da Grécia, a Alemanha veio em socorro da Itália. Sob o comando do Marechal de Campo Erwin Rommel, apelidado "Raposa do Deserto", o Afrika Korps alemão chegou ao norte da África em fevereiro de 1941. Seguiu-se uma série de batalhas de tanques e carros blindados no Deserto Ocidental, com avanços e recuos de parte a parte. A cidade portuária de Tobruk, na Líbia, mudou de mãos diversas vezes ao longo da guerra. Unidades da Austrália e da Nova Zelândia lutaram na campanha do norte da África desde o início, e as tropas sitiadas por Rommel em Tobruk, em 1941, acolheram com orgulho a alcunha de "Ratos de Tobruk", que lhes foi conferida desdenhosamente por Lorde Há-Há,* propagandista do nazismo.

Rommel desencadeou uma nova ofensiva em junho de 1942, que só foi sustada na Primeira Batalha de El Alamein, não muito longe de Alexandria, no Egito. A essa altura, havia um perigo real de que ele pudesse seguir em frente e tomar o Canal de Suez, dominando o acesso aos estoques de petróleo do Oriente Médio, vitais para o esforço de guerra britânico.

Em agosto de 1942, um novo comandante Aliado chegou à região: o general inglês Bernard Montgomery. Sob sua direção, os Aliados iniciaram um ataque devastador e, na Segunda Batalha de El Alamein, puseram em fuga os tanques alemães, passando os

---

* *Lord Haw-Haw*, em inglês. Cognome de William Brooke Joyce (1906-46), locutor nascido nos Estados Unidos e criado na Irlanda que, em inglês aristocrático, transmitia propaganda nazista para o Reino Unido. Seu apelido teve origem na risada irônica com que ponteava suas transmissões. Capturado pelas tropas britânicas na Alemanha, em 1945, Joyce foi condenado à morte por alta traição e enforcado no ano seguinte. (N.T.)

CAPÍTULO QUATRO: GUERRA TOTAL

quatro meses seguintes perseguindo as forças do Eixo através da Líbia e por trás da Linha Mareth, um sistema de fortificações na Tunísia. Foi o momento decisivo da Guerra no Deserto.

O estágio final da campanha no norte da África foi iniciado em novembro de 1942, com a Operação Tocha, uma tentativa de cercar as forças alemãs e italianas. Com o objetivo de capturar o estratégico porto de Casablanca, soldados ingleses e americanos — esses sob o comando do General George S. Patton — desembarcaram no Marrocos e na Argélia, países controlados pela França de Vichy. Patton liderou os americanos na tomada do porto. Enquanto a França de Vichy resistia à invasão do Marrocos, a Resistência Francesa entrou em ação e assumiu o controle na Argélia.

O plano dos Aliados funcionou e, em maio de 1943, o exército do Eixo na Tunísia se rendeu. A última parte da Guerra no Deserto contribuiu para a estratégia geral Aliada, pois aliviou a pressão sobre a URSS, aprisionou centenas de milhares de experientes soldados alemães e proporcionou aos Aliados uma cabeça de ponte para a invasão da Itália. Essa começou em julho de 1943, com um ataque à Sicília que conquistou a ilha, mas não conseguiu impedir a fuga das forças do Eixo para a Itália continental.

Em 24 de julho de 1943, o governo italiano mudou de lado e depôs Benito Mussolini, negociando um armistício com os Aliados no dia 3 de setembro. No caos que se seguiu, forças alemãs resgataram Mussolini e tentaram preencher as lacunas das defesas italianas; os Aliados perseguiram as tropas da Itália país acima até serem detidas na montanhosa região norte. Foi somente em 2 de maio de 1945 que as forças do Eixo na Itália se renderam.

O SOL NASCENTE SE LEVANTA

O Império do Japão assinalara seu ingresso no palco mundial derrotando a Rússia em 1905 (pág. 29) e colonizando a Coreia em 1910, como parte de um plano para ampliar sua influência política e militar na Ásia.

A participação na Primeira Guerra Mundial impulsionara o crescimento econômico do Japão, mas a recessão mundial no final da década de 1920 dera origem, ali, a um nacionalismo extremado, assim como na Itália e na Alemanha. As influências ocidentais foram rejeitadas em favor dos valores tradicionais dos guerreiros samurais: coragem, obediência e estrita disciplina. Rendição era algo impensável, e o soldado que se deixava aprisionar perdia sua honra.

Em 1931, o Japão tomou a Manchúria, no nordeste da China; depois, em 1937, deflagrou a Segunda Guerra Sino-Japonesa, uma invasão em larga escala do território chinês. O bem-treinado exército japonês tomou as cidades de Xangai e Pequim, antes de invadir a então capital Nanquim e embarcar numa orgia de estupros e assassinatos, no que ficou conhecido como Massacre de Nanquim, ou Estupro de Nanquim. No entanto, o Japão jamais consolidaria seu domínio na China.

Como um contrapeso à expansão japonesa, os Estados Unidos reforçaram sua presença no Pacífico, criando uma poderosa força naval baseada em Pearl Harbor, no Havaí. Um recrutamento militar seletivo foi introduzido no país em 1940 e, embora os Estados Unidos não estivessem combatendo, muitos voluntários americanos lutavam junto com os Aliados desde o início da guerra.

O Japão, que cobiçava os ricos recursos naturais das colônias europeias do Pacífico, começou a deslocar tropas para territórios da França de Vichy, na Indochina, criando uma cabeça de ponte para a invasão da Birmânia, da Malásia e de Cingapura, os centros de poder da Grã-Bretanha no Extremo Oriente. Mas, com a Grã-Bretanha ocupada na Europa, os Estados Unidos representavam a maior ameaça ao Japão no Pacífico.

Ataque de Surpresa em Pearl Harbor

O Japão acreditava que os Estados Unidos não suportariam uma campanha prolongada. Portanto, mesmo enquanto negociava um tratado de paz com os americanos, enviou submarinos e porta-aviões à base americana de Pearl Harbor, no Havaí. O ataque, no início da manhã de 7 de dezembro de 1941, foi uma completa surpresa. Mais de 2.330 americanos foram mortos, quase todos os aviões em solo, destruídos, e a maior parte da frota, seriamente danificada. Mas três porta-aviões americanos, que se encontravam no mar durante o ataque, escaparam e serviram para formar o núcleo de uma nova esquadra. De modo geral, o ataque logrou apenas sucesso parcial, já que acabou extinguindo, entre os americanos, qualquer desejo de neutralidade. Agora, longe de abandonar o teatro de operações do Pacífico, os EUA estavam determinados a obter vingança por Pearl Harbor.

No dia 8 de dezembro de 1941, Franklin D. Roosevelt classificou o ataque como "uma data que viverá na infâmia". Uma hora depois, os Estados Unidos formalmente declararam guerra ao Japão.

Embora soldados e marinheiros de diversos países, em especial da Austrália e da Nova Zelândia, já lutassem na região do Pacífico, os Estados Unidos assumiram o comando geral dos esforços Aliados no sudoeste do Pacífico, que se tornou um grande teatro de operações da guerra após o ataque japonês.

O Japão Busca um Império

Dezembro de 1941 foi um mês atarefado para os japoneses, que deram continuidade a diversas ofensivas: desembarque no norte da Malásia, tomada de Hong Kong e destruição da força aérea americana nas Filipinas, em outro ataque aéreo de surpresa, com a subsequente invasão do arquipélago.

Ao sul da península malaia, a possessão britânica de Cingapura era supostamente inexpugnável. Os britânicos achavam que a selva protegeria a cidade de um ataque por terra; assim, os poderosos canhões do território estavam voltados para o mar. Mas seus maiores navios de guerra — um cruzador e um encouraçado — acabaram destruídos no intervalo de apenas uma hora por bombardeiros japoneses. Enquanto promoviam o caos em solo com seus ataques aéreos, os japoneses, pelo norte, abriam caminho na floresta. As tropas Aliadas, em Cingapura, eram três vezes maiores que as forças invasoras do Japão, pois haviam superestimado o poder de fogo dos japoneses. Em compensação, subestimaram sua estratégia.

Assim, em fevereiro de 1942, apresentaram sua rendição, por intermédio do general britânico Arthur Percival. Foi uma humilhação para a Grã-Bretanha: a primeira vez que uma enorme força militar se rendia a um contingente bem menor.

A BATALHA DE MIDWAY

No início de 1942, os japoneses obtiveram mais vitórias: caíram as Filipinas, a Birmânia e as Índias Orientais Holandesas (Indonésia) — uma grande conquista, devido ao petróleo lá existente. O Japão desembarcou por toda parte, inclusive na Nova Guiné e nas Ilhas Salomão, no norte da Austrália, além das Ilhas Marshall & Gilbert e Ilha de Wake, mais ao norte. O Japão lançou tantos bombardeios no norte da Austrália que mulheres e crianças australianas precisaram ser evacuadas mais para o sul. Então, em junho, o Japão voltou sua atenção para as forças americanas no atol de Midway, no meio do oceano Pacífico, próximo ao Havaí.

A essa altura, no entanto, as comunicações de rádio dos japoneses estavam sendo interceptadas, e os reforços aéreos e navais americanos alcançaram Midway a tempo. Sofrendo pesadas baixas — um grupo de 37 bombardeiros de mergulho Dauntless, que voaram do porta-aviões Enterprise, destruíram, em apenas cinco minutos, três porta-aviões japoneses —, os japoneses foram repelidos. A partir de então, o Japão não venceu mais nenhuma batalha importante.

CAPÍTULO QUATRO: GUERRA TOTAL

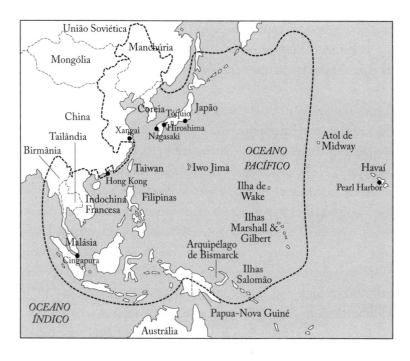

7 Extensão da expansão japonesa em 1942

Subjugando o Dragão Imperial

A partir de 1942, os Aliados tomaram a iniciativa e começaram a pressionar o Japão em diversas frentes. No sudoeste do Pacífico, expulsaram-no de Guadalcanal, das Ilhas Salomão e da Nova Guiné; retomaram as Filipinas e conseguiram reconquistar Okinawa.

No meio do Pacífico, uma série de incursões anfíbias ensejou o que ficou conhecido como "saltos de ilha em ilha". Ilha a ilha, e muitas vezes lutando cara a cara, os Aliados constituíram bases de onde poderiam bombardear o Japão. Em outubro de 1944, ao largo das Filipinas, as Forças Aliadas saíram vitoriosas na Batalha do Golfo de Leyte, o maior combate naval da história. A marinha e a força aérea japonesas estavam agora incapacitadas de deter os Aliados. Em desespero, lançaram contra eles ataques aéreos suicidas que ficaram conhecidos como *Kamikaze* ("Divino Vento"). Com a invasão da Birmânia, as Forças Aliadas iniciaram a libertação do Sudeste da Ásia. Mas o Japão não se rendia.

ASSASSINATO COMO SOLUÇÃO FINAL

Os nazistas de Hitler tomaram o poder na Alemanha, em parte porque responsabilizavam os judeus pelos problemas econômicos do país (págs. 71-3). Sua filosofia de superioridade ariana alegava que era dever da Alemanha livrar o mundo das "raças inferiores", como, por exemplo, os judeus. Assim que se tornou chanceler do Terceiro Reich, em 1933, Hitler promulgou uma legislação antijudaica. E, tão logo o fascismo assumiu o controle, a emigração judaica aumentou. Entre os refugiados, estava Albert Einstein, que deixara Berlim em 1933, e Sigmund Freud, que abandonara a Áustria em 1938. Milhões de outros não tiveram tanta clarividência nem tanta sorte.

Empresas pertencentes a judeus e sinagogas foram atacadas na *Kristallnacht* ("Noite dos Cristais", que ficou conhecida também como "Noite dos Vidros Quebrados"). Os nazistas começaram a restringir a emigração dos judeus e, por fim, decidiram interná-los em guetos ou aprisioná-los em campos de concentração.

O primeiro campo de concentração nazista foi aberto em 1933, nos arredores da cidade de Dachau, para abrigar inimigos políticos. Essa categoria logo se ampliou para incluir grupos minoritários, particularmente os judeus, mas também ciganos e homossexuais. Após a deflagração da guerra, os campos de concentração se tornaram campos de trabalho forçado, abrigando também prisioneiros de guerra e outros grupos étnicos, como os eslavos, que os nazistas consideravam inferiores. Nesses campos, dirigidos pelas SS, a tortura e a inanição eram lugar-comum. Mas coisas ainda piores estavam por vir.

Em dezembro de 1941, em Chelmno, na Polônia, as SS abriram o primeiro campo especialmente construído para o extermínio. Um mês mais tarde, os líderes nazistas se encontraram na Conferência de Wannsee, em Berlim, para discutir uma "Solução Final"

CAPÍTULO QUATRO: GUERRA TOTAL

91

para o que chamavam de "o problema judeu na Europa". A decisão tomada foi o genocídio: estabelecer mais campos de extermínio para aniquilar judeus, no que se tornaria um processo industrializado. Foram implantados mais cinco campos da morte, todos na Polônia, inclusive o de Auschwitz-Birkenau. Alguns eram tão grandes que contavam com suas próprias linhas de trem. Grupos de judeus recebiam frequentemente a informação de que seriam reassentados no leste; forçados a viajar em vagões e caminhões de gado e conduzidos a um desses campos, às vezes eram descarregados diretamente nas câmaras de gás. Oficiais de polícia dos países ocupados, como a Polônia e a França de Vichy, ajudavam os alemães a arrebanhar judeus e a deportá-los para os campos da morte.

Mais de 6 milhões de judeus (78% dos judeus na Europa ocupada pelos nazistas, segundo estimativas) e cerca de 5 milhões de outros prisioneiros morreram em campos de extermínio durante o Holocausto; foi o pior genocídio da história.

Operação Overlord

Em 6 de junho de 1944, uma terça-feira, os Aliados veicularam a primeira informação a respeito da Operação Overlord: "Sob o comando do General Eisenhower, as forças navais Aliadas, com o apoio de poderosas forças aéreas, iniciaram o desembarque de exércitos Aliados na costa norte da França."

A invasão Aliada da Europa finalmente começara. Nesse dia, que recebeu o nome de Dia D, 7.000 embarcações — a maior armada da história — desembarcaram tropas Aliadas nas praias da Normandia e iniciaram a libertação da Europa Ocidental. Parte da operação fora convencer a Alemanha de que a invasão seria mais a leste, em Pas-de--Calais. O artifício funcionou, pois as defesas alemãs foram concentradas longe da Normandia. Mesmo assim, e a despeito de sua superioridade aérea, os Aliados tiveram de enfrentar uma terrível bateria de canhões antes de conseguirem estabelecer uma cabeça de ponte, sofrendo 15 mil baixas nas áreas de desembarque.

Mas, em poucas semanas, os Aliados romperam as linhas alemãs e seguiram rumo ao interior. Paris foi libertada em 25 de agosto. Enquanto a União Soviética avançava pelo leste, os Aliados atravessaram a Bélgica e se aproximaram do norte da Alemanha, mas, em Arnhem, na Holanda, não conseguiram apoderar-se de algumas pontes sobre o Reno. Em dezembro, Hitler desfechou sua última ofensiva, a Batalha das Ardenas, pelo mesmo caminho onde, anos antes, havia irrompido na França.

O contra-ataque alemão fracassou, e os Aliados penetraram na Alemanha. Em 30 de abril de 1945, quando o Exército Vermelho já se encontrava nos arredores de Berlim, Hitler cometeu suicídio em seu bunker. Seguiu-se, então, a rendição incondicional da Alemanha nazista, no dia 7 de maio de 1945.

Ataques do Menininho e do Homem Gordo

Apesar da vitória dos Aliados na Europa, o Japão, teimosamente, recusava-se a passar vergonha admitindo a derrota. Frustrados, os Aliados aprovaram a Declaração de Potsdam, que intimava o Japão, de uma vez por todas, a se render ou enfrentar a destruição. Ainda assim, o governo japonês se recusou a aceitar a paz. Portanto, em 6 de agosto, a primeira bomba atômica, chamada de "Menininho" (Little Boy), foi jogada sobre Hiroshima pelo bombardeiro americano B-29 Enola Gay; três dias depois, uma segunda bomba, chamada de "Homem Gordo" (Fat Man), atingiu Nagasaki. Milhares de pessoas foram mortas imediatamente e milhares morreram envenenadas pela radioatividade. Diante de um ataque tão devastador, o Imperador Hirohito ordenou a rendição. Por fim, em 2 de setembro, uma cerimônia formal foi realizada e a guerra chegou ao fim.

A bomba atômica, que provoca uma reação em cadeia no interior de um átomo de urânio, teve como base desenvolvimentos na física quântica e na física nuclear — que os nazistas haviam classificado como "ciência degenerada judaica".

CAPÍTULO QUATRO: GUERRA TOTAL

O artefato fora desenvolvido em sigilo no Projeto Manhattan, nos Estados Unidos. Ao testemunhar uma explosão experimental em 1945, o cientista Robert Oppenheimer, superintendente do projeto, citou uma passagem do texto religioso indiano conhecido como *Bhagavad Gita* ("Canção de Deus"): "Eu me tornei a Morte, a destruidora de mundos." A bomba foi o maior projeto proveniente das pesquisas realizadas durante a guerra, mas também abriu caminho para o uso pacífico da energia nuclear. Os foguetes que levaram a Apolo II até a Lua, em 1969, tiveram origem na tecnologia de foguetes que a Alemanha Nazista utilizou para lançar as bombas V2 durante a guerra.

O DESFECHO

Quando a paz foi declarada, a Europa estava em ruínas, com cerca de 6 milhões de refugiados no continente, além de outros milhões na Ásia. A destruição de muitas cidades e as novas divisões do pós-guerra impediram ou desencorajaram muitas pessoas de retornar às suas casas.

A Alemanha e o Japão sofreram a indignidade de ter áreas ocupadas, o equilíbrio de poder no mundo se deslocou drasticamente da Europa Ocidental para os Estados Unidos e a URSS (pág. 142), novas alianças foram feitas e novos grupos internacionais tiveram de ser criados. Pela primeira vez na história, criminosos de guerra acabaram responsabilizados pela comunidade internacional.

O Apogeu da Metade do Século

Ao término da Segunda Guerra Mundial, a maior parte da Europa e grande parte da Ásia estavam economicamente exauridas. Em muitos países, as bases industriais haviam sido destruídas, cidades grandes e pequenas precisavam urgentemente ser reconstruídas. Entretanto, a indústria americana havia prosperado, vendendo equipamentos militares para os Aliados. Em 1945, os Estados Unidos eram o país mais rico do mundo, com 43% da produção mundial de minério de ferro, 45% da produção mundial de aço bruto e 74% da produção mundial de veículos motorizados.

A produção das indústrias americanas, após a guerra, começou a se deslocar de armamentos para bens de consumo. Foi o início de uma explosão econômica que afetaria todos os países, exceto aqueles em desenvolvimento, e que se prolongaria até a metade da década de 1970.

A Europa se Reconstrói

Quando a URSS iniciou seu domínio sobre a Europa Oriental, os EUA lançaram a Doutrina Truman, projeto destinado a conter o comunismo mediante oferta de ajuda — econômica, militar ou política — a qualquer país que os Estados Unidos achassem que poderia ser influenciado pelos soviéticos (págs. 143-4). Em 1948,

CAPÍTULO CINCO: O APOGEU DA METADE DO SÉCULO

a ajuda econômica se tornou conhecida como Plano Marshall — em referência ao Secretário de Estado* George Marshall —, por meio do qual os Estados Unidos repassaram cerca de 13 bilhões de dólares a nações da Europa Ocidental para que reconstruíssem suas economias e aderissem ao livre-comércio. O Presidente Truman acreditava que países prósperos teriam menos probabilidade de optar pelo comunismo e manteriam a economia americana em expansão ao comprar produtos dos EUA. A URSS proibiu seus países-satélites de se inscrever no Plano Marshall.

Outra instituição criada (foram inúmeras) para a implantação de uma estabilidade financeira foi o sistema monetário de Bretton Woods, estabelecido pelas nações Aliadas em 1944, antes do término da guerra. Batizado com o nome da cidade de New Hampshire, onde foi concebido, o sistema solicitava aos Estados-membros que atrelassem suas taxas de câmbio ao dólar americano, que, por sua vez, era lastreado em determinada quantidade de ouro (o padrão-ouro). Os acordos de Bretton Woods levaram à criação do Fundo Monetário Internacional (FMI), destinado a regulamentar as taxas de câmbio, e do Banco Mundial, destinado a financiar a recomposição de capitais. Todos os países esperavam que a estabilidade financeira, somada ao crescimento do comércio em escala planetária, pudesse prevenir a eclosão de outra guerra mundial. Mas a URSS se recusou a ratificar os acordos de Bretton Woods, alegando que os EUA tinham demasiada influência no FMI e no Banco Mundial, e, por conseguinte, nas finanças globais.

Na década de 1950, com a ajuda do Plano Marshall, a reconstrução começou a obter sucesso nos países-membros da Organização do Tratado do Atlântico Norte (OTAN) e em outros países alinhados a ela (págs. 146-7).

---

* Cargo com funções quase idênticas, nos Estados Unidos, às do ministro das relações exteriores no Brasil. (N.T.)

Um Mundo Minguante

Enquanto o século 19 fora a época dos Estados nacionais e dos impérios, o século 20 teve como característica a formação de confederações internacionais (OTAN e Pacto de Varsóvia). Algumas eram voltadas à promoção da paz mundial, outras constituíam pactos de defesa mútua e muitas formavam blocos econômicos.

Ao final das duas traumáticas guerras mundiais, houve tentativas de cooperação internacional: a Liga das Nações, em 1920, e as Nações Unidas (ONU), em 1945. A Liga das Nações foi a primeira organização internacional voltada especificamente à manutenção da paz mundial, porém se mostrou incapaz de controlar as invasões territoriais da Alemanha e de outras potências do Eixo, ocorridas na década de 1930.

Em 1946, a Liga das Nações foi dissolvida e teve seu patrimônio transferido para uma nova organização, a Organização das Nações Unidas, conforme as potências Aliadas haviam acordado em 1943, na Conferência de Teerã. A ONU iniciou seus trabalhos em 1945, com 51 participantes, entre eles Grã-Bretanha, França, Austrália, Nova Zelândia, Canadá e as duas superpotências, a URSS e os EUA. Em seu propósito declarado de "manter a paz e a segurança internacionais", obteve variados degraus de sucesso; foi mais bem-sucedida, porém, no outro propósito: promover a "cooperação internacional para a solução de problemas internacionais".

Um dos primeiros atos da ONU foi organizar uma conferência sobre comércio em 1947, o que levou à criação do Acordo Geral sobre Tarifas e Comércio, mais conhecido por GATT, a sigla em inglês. Visando não só regular, mas encorajar o comércio internacional, o GATT reduziu tarifas e outras barreiras comerciais: em 1979, promoveu conversações entre 102 países, o que resultou em reduções na ordem de 190 bilhões de dólares.

O GATT era popular porque promovia o crescimento não só nas grandes economias, como também nas economias de países pequenos, ainda em desenvolvimento. Em 1995, a organização se

CAPÍTULO CINCO: O APOGEU DA METADE DO SÉCULO

transformou na Organização Mundial do Comércio (OMC), cujo objetivo era a promoção do livre-comércio (para mais informações sobre a abertura de fronteiras, ver págs. 189-90).

NUNCA A COISA FOI TÃO BOA

Os preços do petróleo eram baixos nas décadas de 1950 e 1960, permitindo que todos os tipos de indústrias florescessem, inclusive as de produtos para crianças e adolescentes (págs. 117-9). E as economias nacionais cresciam. Embora com alguns solavancos, os países industrializados, de modo geral, desfrutavam de estabilidade financeira e se tornavam mais ricos, assim como todas as classes sociais existentes nesses países. Mesmo a Alemanha e o Japão, derrotados na guerra, participavam desse incremento. Foi a era de ouro do capitalismo, conhecida como o "Grande Boom". Os alemães descreveram seu crescimento econômico na década de 1950 como "Milagre Econômico", enquanto as três décadas de rápido crescimento, de 1945 a 1975, são conhecidas na França como os "Trinta Gloriosos". Paralelamente, os países do "Terceiro Mundo" — que não faziam parte da OTAN nem de seu oponente, o Pacto de Varsóvia (págs. 146-8) — ficaram mais pobres.

A tecnologia deu um salto durante esses anos. A indústria e a agricultura se tornaram mais eficientes mediante o uso da automação e de novas máquinas, como as colheitadeiras. Contudo, o emprego generalizado de pesticidas acabou provocando problemas ambientais duradouros. A "economia militar", baseada na corrida armamentista gerada pela Guerra Fria (pág. 142), contribuiu para manter o crescimento acelerado. Embora o carvão ainda fosse usado em usinas geradoras de energia, o petróleo se tornou cada vez mais importante para as nações industrializadas. Fontes alternativas, como hidrelétricas, usinas nucleares e gás natural, também se desenvolveram.

Em 1957, quando a explosão econômica ainda não estava no auge, o primeiro-ministro britânico Harold Macmillan resumiu o novo clima de otimismo: "Para a maioria do nosso povo, nunca a coisa foi tão boa. Deem uma volta pelo país, visitem as cidade industriais, vão até as fazendas, e vocês verão uma prosperidade que nunca tivemos antes, desde que eu nasci — e nem mesmo em toda a história deste país."

Prédios Altos e Subúrbios

As moradias da maioria dos países europeus haviam sido devastadas pela Segunda Guerra Mundial. Novos lares se faziam urgentemente necessários, e o *baby boom* (como se tornou mundialmente conhecida a explosão demográfica no Ocidente, iniciada no final da década de 1940) pressionava ainda mais a demanda por moradias. Em 1945, segundo estimativas, faziam-se necessárias 750 mil residências apenas na Inglaterra e no País de Gales. Alguns países reagiram construindo cidades inteiramente novas, como Livingston, na Escócia, e Milton Keynes, na Inglaterra. Os países europeus, em sua maioria, também construíram grandes prédios de apartamentos, geralmente em novos terrenos, nos arredores das cidades. Americanos prósperos, com seus carros novos, mudaram-se aos milhões para emergentes subúrbios: em 1950, mais americanos viviam nos subúrbios que nas partes centrais das cidades ou em áreas rurais.

Uma das soluções para a crise de moradia foram casas pré-fabricadas, que dispunham de um banheiro com vaso sanitário na área interna, um aperfeiçoamento considerável.

Após a guerra, o governo britânico deu seguimento à política de eliminar os cortiços, que ocupavam antigas ruas superlotadas e insalubres, tidas como inadequadas para a habitação humana. No final da década de 1960, cerca de 900 mil cortiços foram eliminados, pelo menos 1,5 milhão de novas moradias, construídas, e 2,5 milhões de pessoas, reacomodadas.

As novas residências significaram uma enorme melhoria no padrão de vida individual. Água encanada e eletricidade se tornaram uma norma até para as famílias mais pobres; e, à medida que o crescimento econômico se intensificava, também se tornou uma norma

CAPÍTULO CINCO: O APOGEU DA METADE DO SÉCULO

equipar a habitação com um refrigerador, uma televisão e, finalmente, com uma lavadora de roupas automática.

A Queda

Alguns fatores puseram fim ao acelerado crescimento econômico, entre eles a Guerra Fria — que amparara a indústria, mas que foi se tornando cada vez mais dispendiosa — e o petróleo, que de repente ficou caro.

Em 1971, depauperada devido à Guerra do Vietnã (pág. 154), a economia dos Estados Unidos, pela primeira vez em cinco décadas, sofreu um déficit no comércio exterior. As empresas americanas gastavam mais fora do país do que as empresas estrangeiras gastavam com bens e serviços americanos. Ao mesmo tempo, alguns países começaram a resgatar os dólares que possuíam pelo valor fixado em ouro, o que desvalorizou a moeda. O Presidente Richard Nixon teve de adotar medidas enérgicas e, no que ficou conhecido como Choque Nixon, abandonou o sistema monetário de Bretton Woods, rompendo com o vínculo entre o dólar americano e o ouro. Foi uma medida politicamente popular nos Estados Unidos. John Connally, ministro da economia de Nixon, declarou: "Estrangeiros estão tentando nos ferrar. Nosso trabalho é ferrar com eles primeiro." Mas o colapso do sistema de Bretton Woods, substituído pelo câmbio flutuante, provocou instabilidade financeira: inflação e também bolhas financeiras, que ofereciam esperança de crescimento, acabaram estourando.

Lubrificando as Engrenagens Internacionais

Tão logo o mundo começou a assimilar o Choque Nixon, em 1973, o primeiro choque do petróleo atingiu o Ocidente. Foi quando países árabes impuseram um embargo de petróleo aos Estados Unidos e à Europa Ocidental pelo apoio prestado a Israel na Guerra do Yom Kippur, no mesmo ano (pág. 140). Fato que levou os preços do petróleo a subirem abruptamente. A crise do petróleo transformou uma retração nas bolsas de valores em quebra total, com o índice Dow Jones caindo 45% antes da recuperação, ocorrida em dezembro de 1974. A reação em cadeia atingiu de forma ainda mais violenta o Reino Unido, onde a Bolsa de Valores de Londres despencou cerca de 73%.

Fatores políticos e sociais contribuíram para o declínio. O escândalo de Watergate (operações clandestinas que ajudaram Nixon a se reeleger para a presidência dos Estados Unidos) foi revelado em junho de 1972 e culminou com o impeachment do presidente por obstrução de justiça, quando ele se recusou a entregar fitas de gravações feitas na Casa Branca. Em agosto de 1974, Nixon se tornou o único presidente americano a renunciar.

No Reino Unido, em 1973, uma greve de mineradores de carvão alimentou temores de que ocorressem cortes de energia. Assim, o governo conservador de Edward Heath introduziu a Semana de Três Dias, restringindo a apenas três dias consecutivos por semana a eletricidade fornecida às atividades comerciais. O que não evitou alguns apagões no país.

A explosão econômica havia terminado; o desemprego cresceu, a inflação disparou e a recessão alcançou o Ocidente. Enquanto isso, os países produtores de petróleo perceberam que dispunham de um enorme poder (pág. 105).

Rugem os Tigres Asiáticos

Ao término da Segunda Guerra Mundial, ninguém achava que a Europa entraria em competição econômica com a Ásia. Mas o Japão invadiria as moradias do Ocidente com seus produtos eletrônicos baratos, que iam de rádios transístores a televisores. O milagre econômico japonês, alicerçado por um programa de ajuda americano semelhante ao Plano Marshall do pós-guerra (págs. 94-5) que os Estados Unidos ofereceram à Europa, baseava-se na união das empresas com os sindicatos, de modo a promover o pleno emprego. O Japão se tornaria a maior economia da Ásia até que Taiwan e a Coreia se convertessem em "Tigres Asiáticos" na década de 1960. Na década de 1980, a China se juntaria ao milagre econômico da Ásia.

CAPÍTULO CINCO: O APOGEU DA METADE DO SÉCULO

A Europa se Une

Ao término da Primeira Guerra Mundial, o Tratado de Versalhes (págs. 53-4) impusera duras punições à Alemanha, o que provocou no país um colapso econômico e ressentimentos que fomentaram a Segunda Guerra Mundial. Em 1945, vitoriosos, os Aliados estavam determinados a não repetir os erros anteriores. Os líderes europeus achavam que uma união econômica ajudaria a evitar outra guerra: países que compartilhassem indústrias e empreendimentos seriam menos propensos a guerrear entre si. Laços mais estreitos entre os países europeus também poderiam: prevenir surtos de nacionalismo extremado, como o nazismo; sanar a grande desarmonia existente entre a Alemanha e a França, que remontava ao domínio da Europa por Napoleão e à Guerra Franco-Prussiana; e evitar o nacionalismo econômico da década de 1930, quando os países europeus responderam à Grande Depressão com egoísmo, enfatizando os próprios interesses em vez de formular uma resposta conjunta. Em termos de defesa, os países da Europa Ocidental eram agora anões militares comparados aos Estados Unidos e ao bloco soviético, dois gigantes. Portanto, precisavam agrupar-se.

O político britânico Winston Churchill destacou a necessidade de "uma espécie de Estados Unidos da Europa", embora tivesse em mente uma união de livre-comércio em um conceito cooperativista, e não uma união política.

Alguns países já planejavam alguma cooperação econômica desde antes do final da guerra. Em 1944, os governos em exílio da Bélgica, Holanda (Netherlands) e Luxemburgo assinaram um tratado que estabeleceria a Benelux (junção das primeiras letras dos três países) com o propósito de criar uma futura área de livre-comércio. O Tratado de Bruxelas, assinado em 1948, uniu a Grã-Bretanha, a França e os países da Benelux em uma área de colaboração econômica, cultural e militar. A união militar da Europa Ocidental foi transformada na OTAN (págs. 146-8). Ainda em 1948, foi formada a Organização para a Cooperação e

Desenvolvimento Econômico Europeu, com o objetivo de usar, da melhor forma possível, os fundos do Plano Marshall e de encorajar o comércio ao reduzir restrições nas fronteiras. A organização foi tão bem-sucedida que, em 1961, incluiu países não europeus, tornando-se a atual Organização para a Cooperação e Desenvolvimento Econômico (OCDE).

Os primeiros e ainda vacilantes passos em direção a uma integração política da Europa foram dados no Congresso Europeu de 1948, realizado na cidade holandesa de Haia, ao qual compareceram 750 políticos de toda a Europa Ocidental. Nele, foi proposta a criação de uma Assembleia Europeia e de uma Corte de Direitos Humanos. Em maio de 1949, foi estabelecido o Conselho da Europa, que criou a Convenção Europeia dos Direitos Humanos e o Tribunal Europeu dos Direitos Humanos, sediado na cidade francesa de Estrasburgo e que não deve ser confundido com o Tribunal de Justiça da União Europeia, sediado em Luxemburgo, criado pela Comunidade Econômica Europeia (hoje União Europeia).

Uma Comunidade Econômica Toma Forma

Praticamente desde o final da Segunda Guerra Mundial, houve tensões entre França e Alemanha no que diz respeito ao controle da produção alemã de aço e carvão. Os vitoriosos Aliados impuseram restrições ao potencial industrial da Alemanha, mas não estavam preparados para devolver à França as áreas industriais do Vale do Ruhr e da Renânia quando os franceses exigiram o controle da região. Em uma solução de compromisso, os federalistas* propuseram que os recursos fossem compartilhados e administrados em conjunto. A Comunidade Europeia do Carvão e do Aço foi criada em 1952, com seis países participantes: França, Alemanha Ocidental, Itália, Bélgica, Holanda e Luxemburgo.

---

* Proponentes de uma profunda integração europeia. (N.T.)

CAPÍTULO CINCO: O APOGEU DA METADE DO SÉCULO 103

Uma cooperação econômica mais ampla foi instituída pelo Tratado de Roma, em 1957, que estabeleceu a Comunidade Econômica Europeia (CEE) no ano seguinte. A CEE instituiu um mercado comum sem restrições comerciais, porém, foi mais longe, ao propor melhores condições de vida, manutenção da paz e uma união mais estreita entre os povos europeus. No intervalo de cinco anos, tornou-se a maior exportadora e compradora de matérias-primas do mundo, só perdendo para os Estados Unidos no tocante à produção de aço. Uma política agrícola comum foi instituída em 1962.

A Grã-Bretanha se recusou a participar, temendo perder soberania e independência. Porém, em 1961, a economia britânica marcava passo, enquanto as economias dos membros da CEE cresciam; assim, a Grã-Bretanha solicitou seu ingresso na CEE. Mas o presidente francês Charles de Gaulle vetou o requerimento e fez o mesmo em 1967. Somente após a renúncia de De Gaulle, em 1973, a Grã-Bretanha ingressou na CEE.

Uma das objeções de De Gaulle ao ingresso da Grã-Bretanha foi o fato de que os britânicos desejavam concessões para os países da Commonwealth — que sempre haviam sido rejeitadas. Com o tempo, os países da Commonwealth começaram a desenvolver fortes laços com suas próprias comunidades regionais de comércio.

UMA SÓ MOEDA, UMA SÓ FRONTEIRA

Após as nações da Europa Ocidental terem constituído a Comunidade Econômica Europeia, o estágio seguinte da integração foi o Tratado de Maastricht, de 1992, que criou a União Europeia (UE). O Tratado de Maastricht implantou uma moeda única (o euro), abriu as fronteiras entre os países signatários do tratado e avançou rumo a uma maior integração em áreas como a imigração e os assuntos judiciais. Duas décadas depois, a UE recebeu o Prêmio Nobel da Paz por seus esforços para consolidar a paz, fomentar a democracia e promover os direitos humanos na Europa.

8 A União Europeia em 1999

A UE tornou típica uma tendência do século 20: o distanciamento do nacionalismo e a aglutinação em grandes blocos econômicos supranacionais. Embora tenha havido rivalidades e algumas ferozes disputas entre os países da UE, a integração europeia foi bem-sucedida em seu propósito de prevenir guerras entre os Estados-membros. No entanto, desde os primeiros movimentos

CAPÍTULO CINCO: O APOGEU DA METADE DO SÉCULO

no sentido da união, algumas correntes de pensamento se preocupavam com a perda da soberania, com as imigrações, com o custo e com a burocracia do Parlamento Europeu, entre outras características da federação. A Grã-Bretanha, por exemplo, manteve-se fora do euro e das fronteiras abertas introduzidas pelo Acordo de Schengen.* Em junho de 2016, preocupações britânicas acarretariam um referendo no qual o povo da Grã-Bretanha votou pelo afastamento da União Europeia (Brexit).

Choque Cultural

À medida que o século 20 seguia seu curso, foi-se tornando claro que o petróleo não era mais uma mercadoria comum, mas uma absoluta necessidade para os países industrializados e desenvolvidos. O controle do petróleo acabaria provocando conflitos internacionais e até mesmo guerras.

O petróleo foi descoberto no Oriente Médio (Irã) pela primeira vez por uma empresa britânica (Anglo Iranian Oil). Como a região (que se estendia até o atual Iraque) estava sob influência europeia desde o término da Primeira Guerra Mundial, companhias ocidentais lideraram a busca por mais petróleo, desenvolveram infraestruturas e ficaram com a parte do leão nos lucros. Em 1951, o Irã se tornou o primeiro país do Oriente Médio a se revoltar contra tal arranjo, o que resultou em uma nacionalização da indústria petroleira iraniana. Houve um boicote internacional liderado pela Grã-Bretanha e, em 1954, o Irã chegou a um acordo, ficando com 50% dos lucros obtidos pela empresa que veio a se tornar a multinacional British Petroleum.

---

* Acordo assinado em 1985, na cidade de Schengen, em Luxemburgo, no qual foram abolidos em boa parte os controles nas fronteiras entre os trinta países europeus signatários. Cabe destacar que a Irlanda e o Reino Unido, embora membros da UE, não subscreveram o acordo, enquanto a Islândia, a Noruega e a Suíça o fizeram, mesmo não sendo participantes. (N.T.)

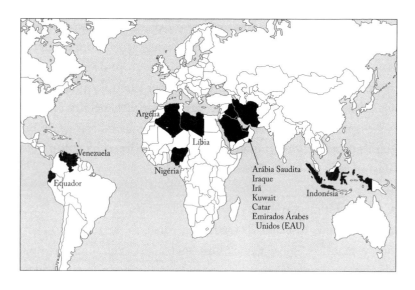

9 Nações integrantes da OPEP na década de 1970

Outras nações do Oriente Médio seguiram o exemplo, exigindo uma fatia maior dos lucros. Até o petróleo do Mar do Norte estar disponível, na década de 1970, a Europa era dependente do petróleo do Oriente Médio. Países árabes outrora pobres e subdesenvolvidos enriqueceram com os lucros e ganharam influência mundial. Com preços mais elevados na década de 1970, os países petrolíferos do Oriente Médio se tornaram não apenas ricos, mas fabulosamente abastados. A Nigéria, por exemplo, após suprimir o movimento pela independência de Biafra (1967-70) (pág. 135), de modo a manter sob seu domínio as regiões ricas em petróleo, viu sua sorte aumentar em decorrência da política de preços praticada na década de 1970 pela Organização dos Países Exportadores de Petróleo (OPEP). Sob o governo do Coronel Gaddafi, a Líbia gastou parte do dinheiro que obteve com o petróleo em infraestrutura, assistência social e em desenvolvimento agroindustrial. Mas também financiou movimentos revolucionários na África.

CAPÍTULO CINCO: O APOGEU DA METADE DO SÉCULO

O Direito de Reunião

Na metade do século, a economia mundial também foi afetada pelos sindicatos, que haviam se tornado tão fortes que contribuíam para a irrupção de crises econômicas e para a derrubada de governos. Ideias progressistas sobre os direitos dos trabalhadores começaram a se propagar após a Segunda Guerra Mundial, à medida que a mão de obra se tornava mais bem-escolarizada. Nos Estados Unidos, a G.I. bill ("Lei dos Soldados") proporcionou aos veteranos de guerra a chance de ingressar numa universidade, oportunidade que pouquíssimos americanos da classe proletária haviam desfrutado antes. Portanto, a era de ouro do capitalismo foi também a era de ouro do sindicalismo, com a sindicalização atingindo seu pico na década de 1950.

Os sindicatos contribuíram para a explosão econômica do pós--guerra através de negociações coletivas por melhores salários; também defendiam salários iguais para homens e mulheres, opunham-se à discriminação racial e buscavam assegurar aos trabalhadores direitos como pensões, verbas rescisórias e contratos de trabalho.

Ao entrar em greve, os sindicatos podiam afetar diversos aspectos da vida moderna, como transporte, coleta de lixo, serviços de saúde, escolas, serviços postais e fornecimento de energia. Em maio de 1968, os sindicatos franceses se uniram aos protestos estudantis contra o governo do Presidente Charles de Gaulle, paralisando a economia francesa e obrigando De Gaulle a convocar uma eleição antecipada. Embora De Gaulle tenha sido reeleito, maio de 1968 simbolizou a revolução sociocultural que a França havia vivenciado.

Os sindicatos também tiveram grande impacto na Grã-Bretanha em 1978-9, quando os servidores públicos, inclusive motoristas de ambulâncias, coletores de lixo e maquinistas, entraram em greve, levando ao "Inverno do Descontentamento". Em 1979, o caos social resultante contribuiu, de forma decisiva, para a derrota do governo trabalhista e a eleição da Primeira-Ministra Margaret Thatcher, a primeira mulher a ocupar o cargo. Numa época em que as indústrias britânicas estavam em declínio, Thatcher introduziu uma legislação antissindical. A partir de então, as atividades sindicais jamais voltaram a ter o mesmo poder.

Na década de 1980, o presidente republicano Ronald Reagan, aliado de Thatcher (apelidada Dama de Ferro), também diminuiu o poder dos sindicatos. Elementos conservadores dos Estados Unidos havia muito temiam que os sindicatos fossem um meio para que os comunistas ingressassem no país. Em 1947, a Lei Taft-Hartley chegara a impedir que comunistas se tornassem líderes sindicais. A lei acabou sendo banida, por ter sido considerada anticonstitucional.

Democracia para Todos

Embora os problemas econômicos da Grande Depressão, na década de 1930, tivessem contribuído para fomentar o fascismo (págs. 67-9), a explosão econômica após a Segunda Guerra Mundial surtiu efeito contrário, promovendo a democracia e propagando-a por grande parte do mundo. Tal modelo político, que faculta a todos os adultos o direito de participar da vida política elegendo seus representantes, amadureceu no século 20, quando, então, as mulheres obtiveram direito ao voto.

O Movimento Sufragista, como se tornou conhecido o movimento pelo voto feminino, teve início em 1893, quando a Nova Zelândia se tornou o primeiro país a conceder à mulher o direito de votar. Mas tomou impulso de fato após a Primeira Guerra Mundial (págs. 66-7), quando ficou claro que as mulheres que haviam trabalhado nas fábricas de munições, conduzido ambulâncias e participado do esforço de guerra de muitas outras formas não poderiam mais deixar de participar da vida política. Muitos países concederam o direito de voto à mulher no final da Segunda Guerra Mundial, embora Portugal só tenha removido suas restrições ao sufrágio feminino em 1976; e, somente em 2015, as mulheres da Arábia Saudita receberam permissão para votar.

Na África descolonizada, países adotaram o modelo democrático de seus ex-colonizadores europeus. O Japão foi influenciado a fazê-lo

CAPÍTULO CINCO: O APOGEU DA METADE DO SÉCULO

após a ocupação Aliada de seu território, ao final da guerra. Em outra parte da Ásia, no Sião (rebatizado como Tailândia em 1939), um golpe incruento pôs fim, em 1932, à monarquia absoluta, forçando o rei a aceitar uma Constituição, embora não uma democracia total. Na década de 1960 e no início dos anos 70, a democracia começou a fracassar em certos lugares do mundo. Países comunistas com partido único permitiam somente um simulacro de eleições livres; a corrupção eleitoral era generalizada em determinadas regiões, e em diversas ex-colônias europeias o sistema democrático apenas revestia divisões internas, permitindo que presidentes apoiados por maiorias étnicas, religiosas ou culturais se tornassem governantes vitalícios. Golpes de Estado resultaram em juntas militares em países tão diversos como Birmânia (com o Comandante Ne Win, em 1962), Grécia (com os Coronéis, em 1967), Uganda (em 1971, com Idi Amin), Chile (com a derrubada de Salvador Allende, em 1973), Argentina (com a derrubada de Isabel Perón, em 1976) e Brasil (com a derrubada de João Goulart, em 1964). Mais tarde, em 1992, a democracia também fracassou na Argélia, quando o exército depôs a recém-eleita FIS (Frente Islâmica de Salvação), considerada fundamentalista demais.

Muitos desses golpes ou ditaduras foram financiados por rivais na Guerra Fria (págs. 143-4). Assim, à medida que as tensões da Guerra Fria começaram a arrefecer, ao final da década de 1970, menos golpes ou revoluções foram tentados na África e na América Latina. Governos civis foram restaurados em muitos países, algumas vezes como resultado de gigantescas manifestações, como ocorreu nas Filipinas, em 1986. Com o colapso do comunismo na Europa Oriental, novos países que emergiram em territórios antes controlados pela URSS tentaram adotar a democracia, com variados graus de sucesso.

O Apartheid Desmorona na África do Sul

Em 1948, um membro do parlamento sul-africano poderia dizer com orgulho que seu país era uma democracia, mas isso só seria verdadeiro no tocante aos cidadãos brancos. Esse foi o ano em que o governo, liderado por uma minoria branca, adotou a política de segregação racial, conhecida como Apartheid. Com a finalidade de manter brancos e negros separados, o Apartheid obrigava os africanos negros a viver em distritos miseráveis nos arredores das cidades, marginalizados, com poucas oportunidades educacionais e sem direito a voto.

Protestos populares contra a discriminação foram duramente reprimidos. Em 1960, a polícia atirou em manifestantes na comunidade de Sharpeville, matando 69 pessoas. Fez o mesmo em 1976, com estudantes de nível médio que protestavam em Soweto contra a imposição do idioma africâner nas escolas; pelo menos 176 foram mortos. Steve Biko, um dos líderes contra o Apartheid, morreu em 1977, quando se encontrava sob a custódia da polícia. Protestos internacionais isolaram o país. E Nelson Mandela, líder do Congresso Nacional Africano, movimento de oposição ao Apartheid, mesmo na prisão, tornou-se o fulcro do apoio mundial à maioria negra.

MANDELA LIBERTADO

A verdadeira democracia chegou à África do Sul por meio de medidas surpreendentes adotadas pelo Presidente F. W. de Klerk, em 1990, quando libertou Nelson Mandela e colaborou para o desmantelamento do Apartheid. Em 1964, Mandela e outros militantes haviam sido condenados por crimes contra o governo e sentenciados à prisão perpétua. Durante o julgamento, ante a possibilidade de ser sentenciado à pena de morte, Mandela disse: "Durante toda a minha vida, eu me dediquei à luta do povo africano. Lutei contra a dominação branca e contra a dominação negra. Acalentei o ideal de ver uma sociedade democrática e livre, em que todas as pessoas vivessem em harmonia e com oportunidades iguais. É um ideal que espero viver para alcançar. Mas pelo qual, se necessário, estou preparado para morrer."

Digno e elegante, mesmo após 26 anos preso, Mandela presidiu uma transição pacífica para um governo de maioria negra; e, em 1994, com os negros sul-africanos votando pela primeira vez, foi eleito presidente da África do Sul, na nova era que então se iniciava.

DIREITOS CIVIS NOS ESTADOS DO SUL

Enquanto os Estados Unidos lutavam contra o comunismo (Guerra Fria), durante as décadas de 1950 e 60, defendendo seu modo de vida e a "liberdade" (pág. 142), alguns estados sulistas ainda negavam a igualdade aos afro-americanos.

A escravidão nos Estados Unidos só foi banida em 1863. Assim, alguns dos militantes que lutavam pelos direitos civis dos afro--americanos eram netos de escravos. Na década de 1950, suprema-cistas brancos da Ku Klux Klan (KKK) realizaram uma campanha de terror (que incluía linchamentos) para manter a segregação, uma política destinada a garantir brancos e negros separados. Isso significava, como no caso do Apartheid, que os americanos negros deveriam ter escolas e serviços de saúde de segunda categoria, além de poucas oportunidades profissionais.

Houve muitos momentos decisivos na história dos movimentos pelos direitos civis dos negros nos Estados Unidos. O boicote aos ônibus, na cidade de Montgomery, no Alabama, teve início quando a costureira Rosa Parks foi presa ao se recusar a ceder seu assento a um homem branco, o que levou os afro-americanos a boicotarem o serviço de ônibus. E, embora a Suprema Corte tivesse decretado que as escolas e universidades deveriam aceitar negros, violentos protestos ocorriam quando estudantes negros tentavam se matricular. Em 1963, o clérigo batista Martin Luther King, que defendia ações não violentas de desobediência civil para a conquista dos direitos civis, fez seu emblemático e inspirador discurso, que se tornou conhecido por uma de suas frases: "Eu tenho um sonho." Malcolm X, outro importante líder dos direitos civis, foi assassinado por rivais em 1965.

A democracia plena só chegou aos Estados Unidos em 1965, com a Lei do Direito ao Voto, que permitiu aos negros do Sul votarem sem receio de eventuais intimidações.

Os Direitos dos Aborígenes na Austrália

A década de 1960 também viu a democracia estender-se a todos os cidadãos da Austrália. Até 1962, os povos aborígenes que viviam em diversas partes do país não podiam votar nas eleições federais a menos que fossem ex-militares, mas, nesse mesmo ano, uma nova lei estendeu o direito a todos os povos indígenas, embora houvesse uma demora de três anos para que pudessem votar nas eleições do estado de Queensland.

Antes que a década terminasse, a Austrália também desmantelou a "política da Austrália branca", que impedia imigrações oriundas de qualquer lugar que não fosse a Europa Ocidental e visava, particularmente, restringir a imigração proveniente da Ásia. Tal política foi substituída por um sistema de "notas", que refletia qualificações e perfil econômico.

Ainda na década de 1960, o governo da Austrália, assim como os de outros países, retirava crianças aborígenes de seus lares e as colocava em internatos públicos. Essa política só terminou na década de 1970 e, mais tarde, foi objeto de um pedido de desculpas do governo.

Direitos e Liberdades

Na Grã-Bretanha vitoriana, as crianças trabalhavam até 18 horas por dia sob condições perigosas, em minas e fábricas ou limpando chaminés. E sem qualquer direito a proteção social.

A pioneira Declaração Universal dos Direitos Humanos, adotada pelas Nações Unidas em 1948, concedeu esse direito às crianças, juntamente com todos os outros setores da sociedade. A declaração reconhecia que os seres humanos têm igualdade de direitos inalienáveis, como segurança, alimentação, habitação, proteção, igualdade de tratamento e, no caso dos adultos, direito ao voto democrático. Em 1949, a Convenção de Genebra acrescentou o tratamento humanitário aos prisioneiros de guerra.

Durante as últimas décadas do século 20, o movimento pelos direitos humanos incluiu a condenação do abuso de crianças por instituições religiosas, o tratamento humanitário de detentos e a promoção do consumo ético.

CAPÍTULO CINCO: O APOGEU DA METADE DO SÉCULO 113

A MÃO PROTETORA DO ESTADO

O século 20 presenciou uma revolução social, com algumas nações criando mecanismos para proporcionar ajuda a toda a sua população, do berço à sepultura. Ao contrário das instituições de caridade, que oferecem ajuda apenas dentro de uma área geográfica ou a pessoas em situação de vulnerabilidade, esses novos sistemas de bem-estar se tornaram igualmente disponíveis a todos.

Talvez a base para os modernos sistemas de bem-estar social europeus tenham sido as ideias do Chanceler Otto von Bismarck sobre reformas sociais na década de 1840, que incluíam pensões para os idosos, seguros contra acidentes e assistência médica. Com isso, Bismarck esperava esvaziar as agitações sociais e reduzir as emigrações do Império Alemão para os Estados Unidos. Suas ideias levaram muitas nações europeias a implantar algumas formas de seguro social para os trabalhadores durante a primeira metade do século 20.

Nos Estados Unidos, berço do capitalismo, os salários eram relativamente altos, mas não havia proteção estatal para os indivíduos. Empresários e grupos conservadores se opunham ao envolvimento do Estado. Quando a Grande Depressão eclodiu, na década de 1930 (pág. 66), os Estados Unidos eram o único país industrializado que não dispunha de um programa de segurança para os trabalhadores; isso significava que famílias carentes de recursos pela falta de emprego só podiam sobreviver com os limitados recursos supridos por organizações filantrópicas. O Presidente Herbert Hoover achava que não era papel do Estado proporcionar assistência social. Mas seu sucessor, Franklin D. Roosevelt, implantou um novo contrato social que se tornou universalmente conhecido como New Deal (Novo Trato, ou Novo Acordo), uma série de programas destinados a gerar empregos e conceder certos direitos aos trabalhadores. Em 1935, Roosevelt sancionou a Lei do Seguro Social, que instituiu seguro--desemprego, subsídios agrícolas, assistência do Estado aos inválidos e a crianças em situação de vulnerabilidade, além de pensões. Mas os EUA não dispunham de um programa de assistência médica: no início do século 21, o índice de mortalidade infantil, de 5%, era mais alto que o da maioria dos países europeus, e também mais alto que o de Cuba, seu inimigo ideológico durante a maior parte do século 20.

Na França, os modernos serviços sociais tiveram início com os Acordos Matignon, de 1936, quando uma greve geral forçou governo e empregadores a assegurar aos trabalhadores direitos como folgas e uma semana com jornada de trabalho de 40 horas.

Na Grã-Bretanha, o Relatório Beveridge, elaborado pelo economista e reformista social William Beveridge, propunha meios para se combaterem os "Grandes Males" da sociedade: miséria, ignorância, escassez, ócio e doenças. Como resultado, de 1944 a 1948, a Grã-Bretanha criou o "Estado de Bem-Estar Social", implantando o Seguro Nacional, no qual os trabalhadores contribuem com um sistema que lhes faculta benefícios em caso de doença ou desemprego; e o Serviço Nacional de Saúde, que proporciona assistência médica a todos os cidadãos, independentemente dos recursos de que disponham.

UMA REVOLUÇÃO TRANQUILA

A prosperidade econômica do pós-guerra e uma sensação de otimismo social estimularam muitos países a transferir os serviços sociais das instituições de caridade privadas, muitas vezes religiosas, para o controle do Estado. A Revolução Tranquila do Canadá ocorreu na província de Quebec, na década de 1960, quando o governo assumiu o controle dos serviços de saúde e educação, antes dirigidos pela Igreja Católica Romana, e instituiu um sistema de bem-estar social por meio de um plano geral de contribuições.

Diversos sistemas de assistência social se desenvolveram ao redor do mundo. Na Dinamarca, Noruega, Suécia, Islândia e Finlândia, o chamado modelo nórdico criou um abrangente estado socialista de bem-estar, em conjunto com um capitalismo de livre-mercado. Países produtores de petróleo do Oriente Médio mantinham suas fortunas dentro de suas fronteiras, concedendo benefícios somente a seus cidadãos e negando cidadania à mão de obra estrangeira.

CAPÍTULO CINCO: O APOGEU DA METADE DO SÉCULO

Aplicando uma política própria, a China chocou o mundo, em 1978, ao adotar a política do filho único, tentando, assim, conter o crescimento populacional e aliviar a pressão sobre os recursos governamentais. O país alcançou sua meta, mas fez surgir uma população distorcida, pois milhões de bebês do sexo feminino foram abandonados (ou mesmo mortos) para que as famílias pudessem ter um bebê do sexo masculino. Calcula-se que, hoje, o número de homens supere em 33 milhões o número de mulheres na China.

MARCOS DA MEDICINA

Com o advento dos serviços proporcionados pelo Estado, como o Serviço Nacional de Saúde da Grã-Bretanha, a medicina entrou na esfera política e começou a ser incorporada nos sistemas capitalistas, com o crescimento dos planos de saúde, o surgimento de empresas farmacêuticas influentes e até mesmo a geração de bebês de proveta.

A tecnologia se tornou uma faceta importante da medicina na segunda metade do século 20, alicerçando-se em inovações anteriores, como as máquinas de diálise, inventadas em 1943, e de eletroencefalografia, que medem a atividade cerebral, usadas pela primeira vez em seres humanos em 1929. O primeiro marca-passo artificial interno foi implantado em 1958; o final da década de 1950 viu também o aparecimento de máquinas de suporte à vida, como os modernos respiradores (ou ventiladores mecânicos), que substituíram os enormes pulmões de aço dos anos 1930. O primeiro transplante de coração foi efetuado em 1967; depois disso, os transplantes de órgãos se tornaram operações rotineiras.

Embora a tecnologia médica fosse, em boa parte, responsável pelo fato de as pessoas (no Ocidente, pelo menos) estarem vivendo mais e de forma mais saudável, algumas melhoras simples na higiene tiveram um efeito poderoso, assim como avanços na prevenção de doenças, como a vacina contra a pólio, introduzida em 1955. E em 1980, após décadas de esforços, a varíola — que matou entre 300 e 500 milhões de pessoas no século 20 — foi declarada oficialmente erradicada.

Apesar de todos os avanços, drogas como a talidomida — comercializada na década de 1950 como um sedativo seguro para mulheres grávidas, mas que acabou provocando deformidades nos membros de milhões de bebês ao redor do mundo — foram um lembrete de que as pesquisas poderiam errar, o que proporcionou incentivos para que novas drogas fossem testadas com maior rigor.

TRATAMENTO DE DOENÇAS MENTAIS NA PRÓPRIA COMUNIDADE

No início do século 20, qualquer pessoa que sofresse de problemas mentais era considerada doente e, muito provavelmente, seria encarcerada num hospício, onde tratamentos antiquados, como a lobotomia, eram praticados. Uma grande mudança ocorreu a partir da década de 1950, quando os hospitais psiquiátricos se fundiram com os hospitais gerais: em vez de encarceramento, os pacientes começaram a receber tratamento na própria comunidade. A nova abordagem com relação aos pacientes tentava remover o estigma atrelado às doenças mentais. Nos anos 60, novas e melhores drogas psicotrópicas se tornaram disponíveis, enquanto os tratamentos mais antigos e potencialmente perigosos, como a terapia por choques eletroconvulsivos, passaram a ser considerados inúteis, quando não uma barbaridade. A tendência a humanizar o tratamento dos doentes mentais, que se consolidou de fato na segunda metade do século 20, foi parte do aperfeiçoamento geral nos cuidados médicos e também dos movimentos pelos direitos civis em todos os aspectos da vida — nesse caso, os direitos dos pacientes.

RUMO À MINIATURIZAÇÃO

Em 1946, o primeiro computador eletrônico pesava 30 toneladas, ocupava uma sala e era alimentado por milhares de válvulas eletrônicas. Poucas décadas mais tarde, seria considerado algo inusitado um indivíduo não possuir um computador pessoal (PC) e um telefone celular (hoje um smartphone).

CAPÍTULO CINCO: O APOGEU DA METADE DO SÉCULO

A invenção do microprocessador (circuito integrado, microchip ou chip), na década de 1950, tornou os computadores menores e mais poderosos. Em 1981, a empresa americana IBM lançou o primeiro PC, enquanto, em 1984, a Apple apresentava o Macintosh. Os computadores começaram a transformar muitos aspectos da vida nas esferas do trabalho, compras e comunicação.

Os microprocessadores foram desenvolvidos a partir da pioneira invenção dos transístores, em 1947, que funcionam com uma corrente de baixa frequência aplicada a uma pequena plaqueta de silício. Usados pela primeira vez nas telecomunicações, os transístores individuais foram integrados, no final da década de 1950, a uma peça de silício, formando um circuito completo (chip). À medida que os microprocessadores foram se tornando mais potentes e sua programação, mais sofisticada, passaram a ser usados em quase tudo, de cartões de crédito a identificadores implantados em cães.

LET'S TWIST: MÍDIA E CULTURA POP

Quando o século 20 teve início, a França era o centro cultural do Ocidente. O artista espanhol Pablo Picasso, a dançarina americana Josephine Baker e muitos outros circulavam em Paris para fazer seus nomes. Mas, na época do "Grande Boom" (pág. 97), o período de crescimento econômico que se seguiu à Segunda Guerra Mundial, foi a cultura americana que influenciou o mundo, principalmente por intermédio dos novos meios visuais, o cinema e a televisão.

A partir da década de 1910, o cinema se tornou a forma mais popular de entretenimento de massa, e muita gente nos países ocidentais frequentava salas de exibição. A partir de 1912, o bairro de Hollywood, em Los Angeles, tornou-se o grande centro dos estúdios cinematográficos americanos. Durante a Primeira Guerra Mundial, os estúdios colaboraram com o governo na propaganda dos esforços de guerra. Mais tarde, na década de 1920, seu marketing inteligente e poder financeiro os ajudaram a dominar a indústria cinematográfica mundial, levando a todos os países os conceitos americanos sobre sociedade e política.

Assim como a cultura das celebridades se desenvolveu, os lucros obtidos com a produção de filmes aumentaram. Um filme mudo da década de 1920 poderia arrecadar cerca de 10 milhões de dólares nas bilheterias. Mas, em 1960, o filme *Psicose*, de Alfred Hitchcock, arrecadou mais de 40 milhões de dólares, enquanto o campeão de bilheteria na década de 1970 (*Guerra nas Estrelas*, de 1977) faturou 147 milhões de dólares. A barreira do bilhão foi quebrada em 1997, com *Titanic*. A essa altura, VHSs, DVDs e videogames também geravam lucros de milhões, se não bilhões, de dólares.

Uma das mais drásticas mudanças sociais do século 20 foi o desenvolvimento da comunicação de massa. O rádio, no início, e depois a televisão tornaram notícias, ideias e cultura instantaneamente acessíveis; e todas as formas de mídia passaram a ser mais sofisticadas e manipuladoras. Desastres sempre fornecem grandes manchetes, e as filmagens e transmissões radiofônicas do Desastre do Hindenburg, em 1937, quando o dirigível pegou fogo, demonstrou que a imprensa tinha enorme poder para influenciar o público.

Em 1954, o pequeno e portátil rádio transístor foi introduzido, assim como os discos de vinil. A cultura jovem explodiu. Estilos de moda, música e dança destinados diretamente à juventude se propagaram pelo mundo, com os jovens adotando expressões de gíria cujo propósito era excluir a geração mais velha.

Uma tendência da música do século 20 foi a crescente influência de estilos afro-americanos. Do ragtime do início do século ao jazz dos afro-americanos urbanos, passando pelo blues dos negros pobres das áreas rurais do Sul, os estilos foram assimilados pelos artistas brancos. Nos anos 50, músicos negros e brancos se misturaram no rock and roll, quando Elvis Presley destruiu a ideia de que os cantores deveriam cantar em posição estática; e Little Richard tocava para plateias não segregadas.

Na Grã-Bretanha, a cultura teen se tornou muito influente nos "Swinging Sixties" ("Descolados Anos Sessenta", em tradução livre), quando bandas como The Beatles, The Rolling Stones e The Who

CAPÍTULO CINCO: O APOGEU DA METADE DO SÉCULO

irromperam no mercado americano e se tornaram mundialmente famosas. A música pop, então, começou a se subdividir em uma série de gêneros, entre eles o punk rock e o hip-hop.

Além de ter ensejado o crescimento da chamada cultura jovem, a década de 1960 foi um período de rápidas mudanças sociais. Uma nova onda de feminismo foi complementada com a introdução da pílula anticoncepcional, que proporcionou às mulheres mais liberdade do que nunca. Ao mesmo tempo, os jovens do mundo ocidental exploravam modos de vida alternativos, no que foi chamado de contracultura. Os hippies encamparam drogas psicoativas e artes "étnicas", sobretudo na joalheria e no vestuário, de países africanos e asiáticos. E, pela primeira vez, o ateísmo e o secularismo passaram a ser lugar-comum no Ocidente. No entanto, apesar da tendência ao secularismo e ao realismo, os best-sellers literários do século 20 foram livros de fantasia: *O Senhor dos Anéis*, de J.R.R. Tolkien (publicado em 1954, vendeu mais de 150 milhões de exemplares), e *Harry Potter e a Pedra Filosofal* (o 1º volume da série), de J. K. Rowling (publicado em 1997 e traduzido para mais de 65 idiomas, vendeu mais de 120 milhões).

CAPÍTULO SEIS

Fim do Colonialismo

Após a Segunda Guerra Mundial, a expansão colonial europeia, que atingira o auge na "Disputa pela África" (págs. 17-8), foi revertida. A descolonização teve início com a Índia, a joia da coroa do Império Britânico, e se estendeu à África.

Os movimentos anticolonialistas africanos eram constituídos por povos nativos, enfurecidos com os colonizadores que exploravam suas terras e corroíam sua cultura. A rebelião Maji Maji na África Oriental Alemã (1905-7) foi um trágico exemplo do desequilíbrio de poder. Quando os nativos africanos se rebelaram contra os colonizadores alemães, acreditavam que estariam protegidos por uma "poção de guerra" que transformaria balas (tiros) em água (*maji*, em suaíli); milhares deles morreram por causa disso. A colônia, assim como outras que pertenciam a potências derrotadas na Primeira Guerra Mundial, acabou se tornando um mandato administrado pelos Aliados. Na década de 1960, transformou-se em três países independentes: Burundi, Ruanda e Tanzânia.

Movimentos anticolonialistas, então, ganharam impulso após a Segunda Guerra Mundial, desencadeando o colapso dos impérios belga, italiano, britânico, francês, holandês, português e japonês. Em algumas colônias, como a Malásia, no sudeste asiático, a transição para a independência foi relativamente pacífica. Em outras, como Angola, de Portugal,

CAPÍTULO SEIS: FIM DO COLONIALISMO

Quênia e Rodésia do Sul (hoje Zimbábue), da Grã-Bretanha, todas na África, foi necessário um levante armado para que as potências coloniais fossem persuadidas a se retirar. O desmantelamento dos impérios coloniais provocou intensos movimentos migratórios e deixou um legado de instabilidade política, social e econômica.

PASSOS RUMO À DESCOLONIZAÇÃO

Após a Primeira Guerra Mundial, o presidente americano Woodrow Wilson conclamou as nações democráticas a interromperem as expansões territoriais em outros países, acreditando que as pessoas deveriam desfrutar do direito à autodeterminação e governar a si mesmas. As colônias dos impérios derrotados na guerra foram distribuídas como mandatos entre os países vitoriosos para que estes as administrassem, sob a supervisão da Liga das Nações, a precursora da ONU (pág. 96), até que as respectivas populações estivessem aptas a "se sustentar sozinhas sob as difíceis condições do mundo moderno". Embora os mandatos ainda não estivessem preparados para ser independentes, a agenda política para que atingissem um governo próprio já fora estabelecida.

A Grã-Bretanha e a França receberam, para administrar, territórios do Império Otomano no Oriente Médio (págs. 55-6), juntamente com parte de Camarões e da Togolândia, na África Ocidental. A Bélgica ficou com parte da África Oriental Alemã. As ilhas alemãs no Pacífico norte e sul foram divididas entre Japão, Austrália e Nova Zelândia. À União Sul-Africana (Estado livre associado da Grã-Bretanha que, em 1961, se tornou a República da África do Sul), coube o Sudoeste Africano Alemão (hoje Namíbia).

Em 1947, o sistema de territórios administrativos chegou ao fim. O Iraque, a Síria, o Líbano e a Jordânia já haviam se tornado países independentes. Os protetorados ainda existentes continuaram a ser administrados pelos países aos quais haviam sido reservados, mas a ONU assumiu a supervisão até que estivessem preparados para a independência.

No caso de outras colônias, o momento crucial para os movimentos de independência ocorreu ao final da Segunda Guerra Mundial. A essa altura, colônias tradicionalmente agrícolas que haviam se diversificado e implantado indústrias, inclusive a Índia e partes da África Ocidental, dispunham de uma nova e escolarizada classe média, que organizava os movimentos de libertação nacional.

ÍNDIA BRITÂNICA EM CRISE

O Império Britânico, que compreendia Estados livres associados, colônias, protetorados e mandatos ao redor do globo, controlando no auge mais de um quinto da população mundial, tornara-se um fardo econômico em potencial ao término da Segunda Guerra Mundial. Embora do lado vencedor, a Grã-Bretanha estava falida, mantendo-se à tona por meio de empréstimos concedidos pelos Estados Unidos. Gastar dinheiro para lutar contra movimentos de independência era um luxo que os britânicos não poderiam mais se permitir. Isso levou a Grã-Bretanha, a partir de 1945, sob o governo trabalhista de Clement Attlee, a implementar uma política de desligamento de suas colônias.

Até 1900, na Índia, a oposição ao domínio britânico foi limitada. O gigante asiático havia suprido a Grã-Bretanha com matérias-primas, com um mercado para os produtos manufaturados britânicos (um quinto de todas as exportações britânicas ia para a Índia) e enormes contingentes de soldados, em duas guerras mundiais. Muitos indianos esperavam que seus leais serviços lhes dariam direito ao controle de sua terra, mas ficaram decepcionados quando o governo de seu país permaneceu firmemente nas mãos do *raj* britânico (como era conhecida a coroa britânica na Índia; *raj* significa reino em hindustâni).

Tensões entre indianos hinduístas e muçulmanos dificultavam a independência, agravadas pela divisão da província de Bengala em áreas hinduístas e muçulmanas, efetuada em 1905 por George Curzon, governador-geral da Índia. A minoria hindu em Bengala

CAPÍTULO SEIS: FIM DO COLONIALISMO

Oriental, área predominantemente muçulmana, reclamava de intimidações promovidas pelos muçulmanos, mas a Grã-Bretanha se recusou a reverter a separação, fato que ocasionou um boicote aos produtos britânicos, assim como diversos motins.

Em 1909, o governo já havia introduzido algumas reformas, inclusive "assembleias legislativas" locais eleitas por indianos; porém, com apenas 2% (os mais ricos e escolarizados) credenciados a votar, as reformas não se mostraram suficientes. Um massacre de indianos efetuado por soldados britânicos e uma rebelião na cidade sagrada de Amritsar, em 1919, instigaram como nunca os opositores do governo britânico a entrar em ação.

Ao mesmo tempo, ideias liberais e democráticas se propagavam entre os hindus — que clamavam por mais direitos e melhores condições de vida —, provocando inquietação entre os muçulmanos mais ricos. O líder nacionalista hindu e defensor dos pobres, Mahatma Gandhi, liderou campanhas não violentas em favor da independência e da casta mais baixa da sociedade indiana, conhecida como "intocáveis". Gandhi idealizava uma Índia republicana e democrática na qual todos os indianos, de qualquer classe ou religião, pudessem viver em harmonia.

O SAL ABALA O IMPÉRIO

Em 1930, Gandhi liderou a Marcha do Sal, uma passeata não violenta de 24 horas, desde Sabermati (perto de Ahmadabad) até o Mar da Arábia — um trajeto de 388 quilômetros —, para protestar contra as extorsivas taxas que os britânicos impunham sobre o sal na Índia. À frente de milhares de seguidores, Gandhi chegou à costa, onde coletou uma pedra de sal, violando as leis do sal, e declarou: "Com isso, estou abalando as fundações do Império Britânico." Gandhi foi preso, mas logo libertado, quando sua detenção deflagrou protestos. Encorajados pelo exemplo de Gandhi, os indianos começaram a produzir seu próprio sal.

Cem mil deles haviam sido presos ao final do ano, enquanto várias indústrias foram paralisadas por greves.

A desobediência civil de Gandhi mediante métodos não violentos foi um momento decisivo na luta pela independência da Índia. Em 1931, ele foi convidado para conversações em Londres, com o propósito de discutir a autodeterminação indiana. Embora nenhum acordo tenha sido firmado nesses encontros que satisfizesse hinduístas, muçulmanos e britânicos, Gandhi atraiu a atenção do mundo para os problemas indianos, o que contribuiu para afrouxar o controle britânico sobre o país.

Saiam da Índia

Em 1942, Gandhi e o então líder do Congresso Nacional Indiano,* Jawaharlal Nehru, lançaram o movimento "Saiam da Índia", destinado a subverter o esforço de guerra britânico. Os indianos se mantiveram unidos dentro do movimento até 1947, quando o Congresso Nacional recusou proposta da Liga Muçulmana para a criação de um Estado islâmico independente que se chamaria Paquistão,** caso a Índia se tornasse independente. O desacordo provocou conflitos entre hinduístas e muçulmanos. Gandhi tentou evitar as lutas, mas cerca de 4.000 pessoas acabaram mortas.

---

* Fundado em 1885, foi o primeiro movimento nacionalista a surgir dentro do Império Britânico, tanto na Ásia como na África. Com o tempo, tornou-se a principal liderança dos movimentos pela independência da Índia. (N.T.)

** O nome *Pakistan* foi cunhado em 1933 por Choudhry Rahmat Ali, ativista pela independência da área que viria a se tornar o Paquistão. Trata-se de um acrônimo das iniciais de três territórios: **P**unjab, **A**fghania (hoje Khyber Pakhtunkhwa, uma das províncias do atual Paquistão) e Caxemira (**K**ashmir). A letra "i" foi acrescentada por eufonia. Em urdu, idioma prevalente na região, a palavra pode ser entendida como uma junção do adjetivo *pak*, que significa "puro", com o sufixo *-stan*, que designa "terra" ou "lugar de", como em Afeganistão, Curdistão, Turcomenistão etc. Paquistão, portanto, significa "Terra dos Puros". (N.T.)

CAPÍTULO SEIS: FIM DO COLONIALISMO

Menos de um mês depois, o novo governador da Índia, Lorde Louis Mountbatten, apresentou planos para dividir a Índia britânica em dois novos Estados livres associados, Índia e Paquistão, separando hindus de muçulmanos, planos que se concretizaram em agosto de 1947. Duas províncias da Índia britânica foram então divididas pela religião: Punjab, a noroeste, e Bengala, a nordeste; a parte leste do Punjab, predominantemente muçulmana, recebeu o nome de Paquistão. E a parte oeste de Bengala, também predominantemente muçulmana, recebeu o nome de Paquistão Oriental. Ambas as partes formavam um só país, mas com territórios descontínuos. Entre ambos, o norte da Índia, que incorporou a parte leste do Punjab e oeste de Bengala. Em 1971, o Paquistão Oriental se tornou independente, após uma guerra nacionalista de libertação, e passou a se chamar Bangladesh.

A divisão da Índia em 1947 gerou um verdadeiro caos, com milhões de muçulmanos e hindus desalojados tentando alcançar as novas fronteiras. Centenas de milhares de pessoas pereceram. Em meio à violência, um extremista hindu assassinou Gandhi, pois se opunha à paz entre hinduístas e muçulmanos que o líder pacifista professava. Três anos depois, em 1950, o Estado livre associado da Índia conquistou a independência total da Grã-Bretanha, adotando, em 1956, uma nova Constituição.

Os britânicos legaram à Índia uma nação dividida. O líder da Liga Muçulmana, Muhammad Jinnah, descreveu o nascimento do Paquistão e da Índia como "afogado em sangue". Após a independência, o conflito entre as duas repúblicas prosseguiu, com guerras e escaramuças. Atualmente, em que pese a grande pobreza, a República da Índia é a maior democracia do mundo, com significativas liberdades civis e imprensa livre. O Paquistão, uma república parlamentar, embora menos pobre, tem sofrido com a instabilidade política e com o terrorismo (pág. 177).

Do Império à Commonwealth

Seis meses após a divisão da Índia, em 1948, a ilha do Ceilão (hoje Sri Lanka), famosa por seu chá, tornou-se independente da Grã-Bretanha, inspirada pela campanha "Saiam da Índia". A Malásia britânica, rica em borracha e estanho, que fora ocupada pelos japoneses durante a guerra, tornou-se um protetorado britânico em 1948. Conquistou sua independência em 1957.

O Ceilão, a Índia, o Paquistão e a Malásia se tornaram membros da Commonwealth, comunidade estabelecida em 1949, tendo a monarca britânica como representante nominal. Trata-se de uma livre associação de países independentes que compartilham valores como democracia, paz mundial e livre-comércio. Na década de 1950, o comércio britânico com os países da Commonwealth era quatro vezes maior que com a Europa, embora o equilíbrio tenha mudado depois que a Grã-Bretanha se juntou ao bloco europeu, em 1973. Atualmente, a Commonwealth inclui 53 países, dentre os quais as maiores economias — Reino Unido, Índia, Canadá e Austrália — respondem por um terço da população mundial.

Uma Linha Verde Divide Chipre

A colônia britânica de Chipre (antes parte do Império Otomano e controlada pela Grã-Bretanha desde 1878, após a Guerra Russo-Turca) também se juntou à Commonwealth depois de obter independência do Império Britânico, em 1960.

Rivalidades entre os cipriotas gregos, majoritários na ilha, e os cipriotas turcos, minoritários, provocaram segregação entre as duas comunidades, além de violência, quando os cipriotas gregos começaram a promover a união com a Grécia. Forças da Grã-Bretanha e das Nações Unidas foram trazidas à ilha para monitorar a situação. Em 1974, o governo cipriota foi derrubado por um golpe militar que substituiu o presidente por um ativista pela união com a Grécia, o que levou a Turquia a ocupar o norte de Chipre, de população predominantemente turca.

CAPÍTULO SEIS: FIM DO COLONIALISMO

Um acordo de paz, efetuado em 1974, dividiu Chipre entre o terço do norte (a República Turca de Chipre do Norte) e os terços do sul (a República de Chipre, habitada pelos cipriotas gregos), divididos pela "Linha Verde", uma zona-tampão estabelecida pela ONU. Até os dias de hoje, a República Turca de Chipre do Norte é reconhecida como um país independente somente pela Turquia.

DEBACLE EM SUEZ

O Egito, parte do Império Otomano até 1914, quando se tornou protetorado britânico, obteve a independência em 1922, após uma revolução. Para controlar o Canal de Suez, que ainda pertencia a uma empresa anglo-francesa, a Grã-Bretanha conservou sua presença militar no país. A hidrovia era vital para levar o petróleo do Golfo Pérsico até a Europa.

Em 1952, uma revolução liderada por oficiais do exército nacionalista depôs o rei egípcio Faruk, pró-britânico, e, em 1953, proclamou a república no Egito. Gamal Abdel Nasser, presidente a partir de 1956, chocou o mundo ao nacionalizar o Canal de Suez com o propósito de levantar fundos para a construção de uma represa. Conversações sobre a crise, em Londres, às quais compareceram 22 países, não encontraram solução diplomática. Assim, Grã-Bretanha, França e Israel formularam um plano secreto para invadir o Egito. A invasão, em outubro de 1956, liderada por forças israelenses, foi apoiada por ataques aéreos britânicos e franceses. Nasser retaliou bloqueando o Canal de Suez e afundando 47 navios que lá estavam, provocando racionamento de petróleo na Europa. Após uma semana de lutas, os Estados Unidos, a União Soviética e a ONU obrigaram os invasores a se retirar.

A Crise de Suez levou à renúncia o primeiro-ministro britânico Anthony Eden, marcou o fim da Grã-Bretanha como grande potência mundial e contribuiu, em 1960, para uma resolução da ONU conclamando os países colonialistas a abrirem mão de suas colônias.

ARMANDO O PALCO PARA O VIETNÃ

Em 1887, três anos após a vitória na Guerra Sino-Francesa, a França passou a governar o território compreendido entre a Índia e a China, conhecido como Indochina Francesa. O Vietnã do Sul (então chamado Cochinchina) se tornou uma colônia francesa, enquanto o Camboja, o Laos, o centro e o norte do Vietnã (Tonkin e Annam) se converteram em protetorados franceses (protegidos de invasões militares). A população local geralmente se ressentia dos franceses, que exploravam a área para obter borracha, chá, café, arroz e pimenta.

Após a queda da França, durante a Segunda Guerra Mundial, o governo francês de Vichy (marionete da Alemanha nazista) entregou o controle das cidades de Hanói e Saigon aos japoneses, aliado de guerra da Alemanha. O Japão Imperial, que nutria ambições de colonizar a Ásia e estava às voltas com uma guerra em ampla escala contra a China (1937-45), logo ocuparia toda a Indochina Francesa, substituindo alguns funcionários franceses em postos-chave por funcionários japoneses.

No final da Segunda Guerra Mundial, em 1945, o derrotado Japão se retirou do Vietnã, permitindo ao Viet Minh (Liga para a Libertação do Vietnã), que lutara contra a ocupação japonesa, tomar Hanói e proclamar a República Democrática do Vietnã. A república teve curta duração, pois as forças francesas retornaram para restabelecer o controle, retomando Hanói e forçando o Viet Minh, liderado pelo nacionalista/comunista Ho Chi Minh, a se retirar para as montanhas. A partir de 1946, o Viet Minh travou uma guerra de guerrilhas contra a França.

Em 1949, os franceses instalaram no país um rei fantoche, Bao Dai, para solapar a liderança de Ho Chi Minh, mas o comunista Viet Minh estava para se tornar mais forte. Em 1954, a China, agora conhecida como República Popular da China (págs. 159-60), enviou apoio militar aos guerrilheiros. Usando bicicletas, transportaram peças de artilharia até o topo das colinas que circundavam a guarnição francesa de Dien Bien Phu, contra a qual desfecharam um poderoso ataque. Derrotada e humilhada, a França se retirou da Indochina.

CAPÍTULO SEIS: FIM DO COLONIALISMO 129

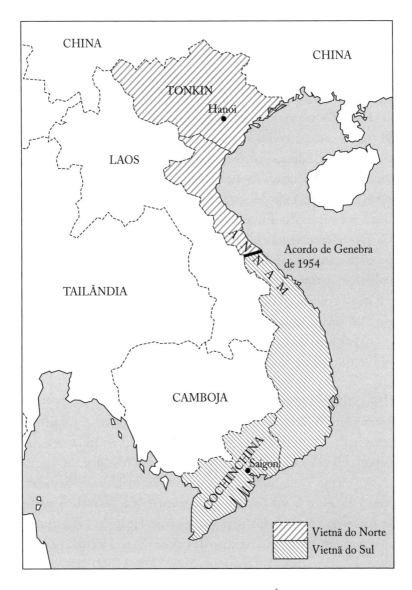

10 Territórios coloniais franceses no Sudeste da Ásia (Indochina) e o cenário para a Guerra do Vietnã

O presidente americano Harry S. Truman, cuja "política de contenção" visava deter a propagação do comunismo, havia apoiado a França. Dwight Eisenhower, presidente a partir de 1953, descrevia a ameaça comunista como um efeito-dominó, segundo o qual, se um país sucumbisse ao comunismo, o restante do Sudeste da Ásia sucumbiria também.

Em 1954, o acordo de paz de Genebra dividiu o país em Vietnã do Norte, comunista, liderado por Ho Chi Minh, e Vietnã do Sul, pró-Ocidente, liderado por Ngo Dinh Diem, nomeado pelos EUA. Uma eleição foi marcada para 1956, com o propósito de decidir quem governaria todo o Vietnã. O governo repressor de Ngo Dinh Diem era impopular. Enxergando a oportunidade de unificar o país sob um regime comunista, Ho Chi Minh enviou ajuda aos defensores do comunismo no Sul. Em retaliação, Diem cancelou a eleição, violando os termos do acordo de Genebra. Preocupados em demonstrar que a política de contenção estava funcionando como esperado, os Estados Unidos apoiaram a decisão de Diem.

O palco estava armado para a prolongada e dispendiosa Guerra do Vietnã (1955-75).

HOLANDESES DESPEJADOS DAS ÍNDIAS ORIENTAIS

Assim como a Indochina, a colônia no Sudeste da Ásia, conhecida como Índias Orientais Holandesas (hoje Indonésia), resistiu ao retorno da potência colonialista após a Segunda Guerra Mundial.

A colônia — um arquipélago que inclui as ilhas de Sumatra, Java, Celebes e o sul da ilha de Bornéu — foi formada a partir de territórios controlados pela Companhia Holandesa das Índias Orientais, que operava o comércio de especiarias na Holanda desde o século 17. As terras foram repassadas para o Estado holandês quando a companhia faliu, em 1796.

Em 1940, a ocupação da Holanda pela Alemanha nazista impediu que o exército holandês defendesse sua colônia, que foi invadida pelo Japão. Os japoneses armaram e treinaram os indonésios para

CAPÍTULO SEIS: FIM DO COLONIALISMO 131

colaborar no esforço de guerra contra as Potências Aliadas, e encorajaram o desenvolvimento de movimentos nacionalistas. Após a rendição do Japão, ao final da guerra, os líderes dos movimentos reivindicaram a independência da Indonésia.

Durante cinco caóticos anos, a partir de 1945, os holandeses tentaram reimpor seu governo. Republicanos, comunistas e revolucionários camponeses lutavam uns contra os outros e contra os europeus. Por fim, pressões exercidas pelas Nações Unidas e pelos americanos persuadiram a Holanda a conceder, em 1949, independência à Indonésia.

CORAÇÃO DAS TREVAS

Após a Segunda Guerra Mundial, apenas três países africanos eram independentes: Libéria, Egito e Etiópia. Apesar de muitos africanos terem lutado em exércitos europeus, a maior parte foi impedida de governar os próprios países. As relações entre colonos e africanos eram geralmente hostis. As mais horrendas atrocidades foram cometidas pelo rei belga Leopoldo II (reinou de 1865 a 1909), cujo sanguinário governo do Congo, região de extensas florestas pluviais e rica em borracha, serviu de base para o romance *Coração das trevas* (*Heart of Darkness*), escrito em 1899 por Joseph Conrad. Impulsionada pela recente liberdade total da Índia, adquirida em 1956, uma grande onda libertária varreu o continente africano na segunda metade da década de 1950 e na de 1960.

Gana, antiga Costa do Ouro Britânica, foi a primeira colônia africana a obter independência. Ao voltarem para casa, soldados da Costa do Ouro, que haviam lutado ao lado dos britânicos na Segunda Guerra Mundial, só encontraram desemprego e pobreza. As tensões aumentaram quando vários deles foram mortos por policiais britânicos durante um tumulto, o que levou a Grã-Bretanha a formular planos para deixar a colônia. Com apoio britânico, o partido liderado por Kwame Nkrumah venceu a primeira eleição do país, em 1951, e, em 1957, ele se tornou primeiro-ministro, quando, enfim, Gana conquistou sua independência. Nkrumah iniciou o governo com grande esperança de desenvolver um Estado socialista industrializado, onde houvesse oportunidades de educação para todos, mas, após crises econômicas, acabou transformando Gana em um país de partido único. Em 1966, foi derrubado por um golpe militar.

A independência de Gana inspirou outras nações africanas a assumirem o próprio controle, inclusive o Quênia, onde ataques do grupo nacionalista Mau-Mau contra colonos britânicos desencadearam, no início, uma reação britânica, que incluiu políticas repressivas, seguidas por várias rebeliões e finalmente pela independência do país, em 1963.

O primeiro-ministro britânico Harold Macmillan admitiu, em 1960: "O vento das mudanças está soprando sobre o continente... o crescimento da consciência nacional é um fato político que devemos reconhecer."

Vento Frio na África

A descolonização da África foi complicada pela Guerra Fria entre os Estados Unidos e a URSS (pág. 142). A União Soviética fornecia armas e dinheiro para movimentos nacionalistas motivados por ideais comunistas, enquanto os Estados Unidos, empenhados em deter a propagação do comunismo, patrocinavam grupos nacionalistas e líderes que apoiassem o Ocidente capitalista.

A rivalidade foi bem exemplificada na independência do conturbado Congo Belga. Enfrentando um movimento pró-independência cada vez mais forte, o Rei Balduíno da Bélgica entregou o poder, em 1960, a um primeiro-ministro recém-eleito, o líder revolucionário Patrice Lumumba. No espaço de duas semanas, os soldados da *Force Publique* congolesa se amotinaram contra os oficiais belgas que ainda permaneciam no país, e a província de Katanga declarou-se independente do Congo sob o comando do líder Moise Tshombe, que chamou os belgas de volta para apoiá-lo militarmente. Lumumba reagiu exigindo a expulsão das tropas belgas pela ONU, que enviou uma força para manter a paz. Lumumba também pediu ajuda militar à União Soviética, que lhe foi prontamente concedida, numa tentativa

CAPÍTULO SEIS: FIM DO COLONIALISMO 133

comunista de aproximação com o Congo. Mas, em setembro de 1960, Lumumba foi deposto e executado pelo líder pró-Ocidente Joseph Mobutu (Mobutu Sese Seko). Apoiado pelos EUA, Mobutu se tornou chefe de Estado em 1965 e rebatizou o país de Zaire. Foi derrubado em 1996, após um governo corrupto que praticamente quebrou o país.

Lutando para se tornar independente de Portugal, Angola também recebeu apoio militar soviético (pág. 136), assim como o recém--independente governo de Moçambique e o Congresso Nacional Africano, na África do Sul. Em retaliação, os Estados Unidos forneceram armamentos e dinheiro a nacionalistas e governos africanos dispostos a se opor ao comunismo.

Os soviéticos não alcançaram na África os resultados que almejavam. Economias fracas e violentas rivalidades criaram instabilidades políticas que impediram o socialismo de se estabelecer na África. Ao contrário do que ocorria nos países socialistas, a luta de classes não era uma preocupação primordial nas sociedades africanas. Assim, muitos países africanos, após a independência, acabaram se alinhando com o Ocidente capitalista.

SELVAGERIA POR TODA PARTE

Envergonhado com a derrota na Indochina Francesa em 1954 (pág. 128), o governo socialista francês efetuou uma inútil tentativa de manter sua colônia de 130 anos na Argélia. A guerra da França entre 1954 e 1962 contra os guerrilheiros da Frente de Libertação Nacional (FLN), um grupo nacionalista árabe, chegou a outro desfecho humilhante, cujas repercussões ainda ecoam naquele país.

Os colonos europeus na Argélia, relativamente ricos, constituíam cerca de 10% da população e eram apelidados de *pieds-noirs* (pés pretos) pelos nativos argelinos, que, cada vez mais descontentes, exigiam os mesmos direitos dos *pieds-noirs*. O governo francês concordou somente com reformas limitadas, o que estimulou o aparecimento de grupos revolucionários, como a FLN.

A guerra que irrompeu durou oito anos de intensa selvageria: a FLN perpetrou massacres, assassinatos, mutilações e torturas; os franceses responderam tratando de forma cruel os agitadores nacionalistas. O conflito derrubou a frágil Quarta República, que foi substituída pela Quinta República, liderada por Charles de Gaulle, que comandara a França Livre durante a Segunda Guerra Mundial. De Gaulle não teve alternativa senão entregar o poder à FLN e conceder independência à Argélia. A decisão acarretou atos terroristas de argelinos de origem francesa que se opunham à independência. No espaço de um ano, cerca de 1,4 milhão de refugiados, incluindo europeus e judeus que viviam no país africano havia gerações, fugiram para a França, onde muitos deles se sentiam isolados, problema que repercute até hoje.

Ventos de Mudança

Em seguida à independência, muitos dos novos países mergulharam em um caos político e econômico. Economias africanas baseadas na agricultura de subsistência, com poucas indústrias modernas, passaram por dificuldade após perderem subitamente o apoio do Ocidente. Países com matérias-primas valiosas, como a Nigéria, por exemplo, que dispunha de petróleo, tiveram um rápido crescimento econômico, gerando um abismo entre ricos e pobres. Governos que deparavam com problemas múltiplos — de guerras e divisões étnicas a fome e secas —, inclinavam-se para a autocracia e a corrupção como meio de sobrevivência.

A guerra civil na Argélia, que se seguiu ao êxodo dos franceses, resultou em uma ditadura militar. E, quando o governo cancelou as eleições, temendo a vitória de muçulmanos radicais, o país mergulhou numa guerra civil (1991-2002). Entretanto, nos últimos anos, a Argélia tem conseguido manter a estabilidade e se tornou grande exportador de gás natural.

Após obter independência da França, que controlou a região do século 19 à década de 1960, a República Centro-Africana padeceu

CAPÍTULO SEIS: FIM DO COLONIALISMO

135

sob o domínio de líderes autocráticos, inclusive a ditadura aterrorizante de Jean-Bédel Bokassa, conhecido como "o ditador canibal", a qual durou de 1966 até 1979, quando foi deposto por um golpe apoiado pela França. O país continua a ser um dos mais pobres do mundo. Em 1971, Idi Amin, ex-oficial do exército colonial, tomou o poder no antigo protetorado britânico de Uganda, que já vinha atravessando anos de governos corruptos. Amin implantou seu próprio tipo de governo, cruel e opressor, que durou até 1979 e se tornou conhecido pelas execuções de adversários políticos, além de violência étnica e graves abusos contra os direitos humanos. Atualmente, o país goza de relativa estabilidade e prosperidade, embora ainda haja pobreza no norte, por conta de um legado de intranquilidade e violência deixado por um grupo rebelde chamado Exército da Resistência do Senhor.

A Nigéria, descolonizada pelos britânicos em 1960, mergulhou na guerra civil quando, em 1967, o estado de Biafra, no sul, habitado pelo povo ibo, de maioria cristã, separou-se da federação do norte, dominada por muçulmanos, e criou a República de Biafra, que durou até 1970. A república fracassou depois que um bloqueio imposto pelo governo federal provocou a morte por inanição de milhões de biafrenses. O interesse internacional e o apoio militar a ambos os lados foram consideráveis, devido à alta qualidade do petróleo produzido nos campos da região. Imagens de biafrenses desesperados, divulgadas em todo o mundo, atraíram uma enxurrada de ajuda humanitária a partir de 1968, principalmente por parte de organizações cristãs.

O petróleo também mudou a sorte da antiga colônia italiana da Líbia, que obteve a independência em 1951, após a ocupação Aliada. As reservas de petróleo descobertas em 1959 incentivaram o golpe militar liderado pelo Coronel Muammar Gaddafi em 1969. No entanto, embora os rendimentos obtidos pela Líbia com o petróleo tivessem subido vertiginosamente na década de 1970, boa parte foi gasta com o financiamento ao terrorismo em todo o mundo (págs. 178-9).

A Revolução dos Cravos

A colônia portuguesa de Angola, no sul da África, foi conhecida pelo tráfico de escravos para o Brasil (entre 1501 e 1866 embarcaram mais de 5 milhões). Ao longo do século 20, a colônia se tornou cada vez mais ocidentalizada. Em 1910, a fracassada monarquia constitucional de Portugal foi substituída por uma instável república, que, por sua vez, acabou substituída, em 1933, por uma ditadura fascista e repressora, o Estado Novo, contrário ao comunismo, ao socialismo, ao liberalismo e ao anticolonialismo. O Estado Novo pretendia tornar as colônias portuguesas parte do próprio país, ignorando as aspirações à independência de seus territórios ultramarinos.

A política do Estado Novo para Angola, que incluiu trabalhos forçados e reassentamentos durante a década de 1950, desencadeou uma guerra de libertação por parte de diversos movimentos de guerrilha nacionalista e, durante 13 anos, ocasionou horrendos massacres. Com seus esforços para encerrar os conflitos, os portugueses atraíram críticas por parte das Nações Unidas, bem como embargos de armamentos e outras sanções impostas pela comunidade internacional.

Crescentes dissenções internas e o aumento da influência soviética exercida sobre a classe trabalhadora culminaram, em 1974, com a Revolução dos Cravos, golpe militar assim chamado porque não houve um disparo sequer, e apenas cravos vermelhos, símbolo do socialismo, eram enfiados nos canos dos rifles dos soldados. Depois que o novo governo socialista prometeu fazer a transição para a democracia, a guerra colonial terminou imediatamente, e a independência foi concedida a Angola e a outros territórios, como Moçambique, no sudeste da África, e Timor Leste, no sudeste da Ásia. Isso deu início a um êxodo em massa de cidadãos portugueses.

Em 1975, logo após a independência, uma guerra civil irrompeu em Angola, tornando-se o mais prolongado conflito na África. O governo comunista, estabelecido por antigos rebeldes e apoiado pela União Soviética, lutava contra insurgentes apoiados pelos Estados Unidos. Em 1995, a ONU enviou uma força de paz para

CAPÍTULO SEIS: FIM DO COLONIALISMO 137

supervisionar o desarmamento. O conflito terminou finalmente em 2003, deixando o país lotado de minas terrestres e com sua economia destroçada. Desde então, contudo, Angola conseguiu manter a estabilidade e acumular reservas financeiras com base na exploração de petróleo e em minas de diamantes.

ÊXODO JUDEU

Contra o pano de fundo da descolonização, havia um crescente conflito entre árabes e refugiados judeus que fugiam do antissemitismo e de países instáveis. A perseguição aos judeus se iniciou no momento em que as primeiras comunidades judaicas migraram do reino de Israel (na Palestina) para a Europa cristã. O Caso Dreyfus (1894-1906), quando um capitão do exército francês chamado Alfred Dreyfus — que era judeu — foi falsamente incriminado por traição, enquanto as autoridades protegiam o verdadeiro culpado, é apenas um exemplo. O holocausto, de 1941 a 1945, é outro (págs. 89-90).

No final do século 19, reagindo ao antissemitismo, a Organização Sionista, liderada pelo jornalista húngaro Theodore Herzl, comprou terras na Palestina e lá estabeleceu assentamentos. Os sionistas acreditavam que os judeus da diáspora deveriam retornar à sua verdadeira pátria, na então Palestina, território que lhes fora prometido por Deus, e argumentavam que um Estado soberano deveria ser ali implantado. Organizaram, então, migrações em massa para a Palestina, levantando fundos para ajudar judeus pobres e perseguidos. Durante a Primeira Guerra Mundial, preocupados com a vulnerabilidade dos assentamentos às forças turcas, os sionistas acolheram com agrado a conquista da Palestina pelos britânicos em 1917. Isso foi verdadeiro sobretudo com Chaim Weizmann, sionista educado na Grã-Bretanha, que se tornaria o primeiro presidente de Israel.

Em 1917, Weizmann contribuiu para que o primeiro-ministro britânico Arthur Balfour fosse persuadido a apoiar uma "pátria para os judeus na Palestina", o que suscitou aumento na imigração judaica para o território, onde indústrias, tecnologias e instituições controladas por judeus se desenvolveram. Esse feito provocou tensões entre árabes palestinos e judeus. Assim, em 1930, a Grã-Bretanha começou a restringir a imigração para a Palestina — bem no momento em que judeus da Alemanha e da Áustria começavam a enfrentar uma nova onda de discriminação. Em maio de 1939, às vésperas de uma guerra que desencadearia o Holocausto de judeus na Europa, a Grã-Bretanha vetou a imigração, ensejando imigrações ilegais em que judeus eram contrabandeados para a Palestina por grupos judaicos de resistência.

Após a Segunda Guerra Mundial, refugiados judeus, com o apoio dos Estados Unidos, tentaram emigrar para a Palestina, ainda administrada pelos britânicos. Consciente das objeções dos árabes nacionalistas, a Grã-Bretanha restringiu novamente o número de imigrantes para o território. Em 1946, como forma de protestar contra o que via como parcialidade da Grã-Bretanha em favor dos árabes, o exército clandestino judeu, conhecido como Irgun, explodiu uma bomba no hotel Rei David, em Jerusalém, matando 91 pessoas. Em 1947, diante das crescentes tensões, os britânicos levaram o problema à ONU, que votou pela divisão da Palestina em um Estado árabe e outro judeu, tendo Jerusalém como área internacional compartilhada, projeto que foi aceito pelos judeus, mas amargamente repudiado pelos árabes. Uma série crescente de ataques árabes foi enfrentada com violência ainda maior pela organização paramilitar judaica de caráter sionista conhecida como Haganá. Em abril de 1948, as tropas britânicas deixaram a região. Em 14 de maio, poucas horas antes de o mandato britânico sobre o território se encerrar, o Estado independente judeu de Israel foi proclamado por David Ben-Gurion, presidente da Agência Judaica para a Palestina.

No dia seguinte, Israel foi invadido por Egito, Síria, Líbano, Transjordânia (atual Jordânia) e Iraque, na primeira guerra entre árabes e israelenses (Guerra da Independência de Israel). Os israelenses resistiram à invasão. Em 1949, quando então houve um armistício, Israel já havia controlado territórios além das fronteiras estabelecidas em 1947. O Egito ocupara a Faixa de Gaza, e a Transjordânia anexara a Judeia e a Samaria. Os 700 mil palestinos árabes desalojados pela guerra se dispersaram, principalmente, pela Jordânia, Egito, Síria e Líbano. Em maio de 1964, palestinos revoltados com a situação formaram, em Jerusalém, a Organização para a Libertação da Palestina (OLP).

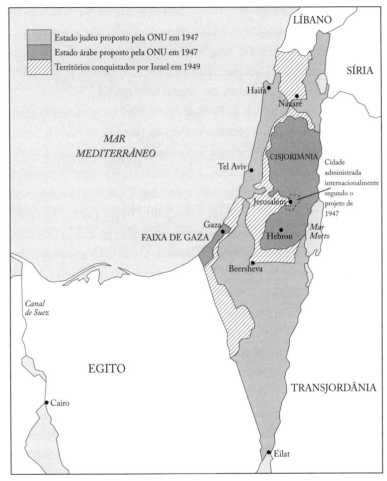

11 Divisão da Palestina em 1947 e o acordo de cessar-fogo de 1949

O novo Estado judeu de Israel tornou-se o foco de uma imigração em massa de judeus oriundos de países árabes do Oriente Médio e de países muçulmanos do norte da África que haviam obtido a independência. Também chegaram judeus do Egito, expulsos do país após a Crise de Suez em 1956 (pág. 127).

Yom Kippur e Camp David

Os conflitos entre israelenses e palestinos tiveram seguimento com a Guerra dos Seis Dias, em 1967, quando Israel enfrentou uma união de países árabes vizinhos. O resultado? Os árabes perderam mais territórios, cerca de 600 mil palestinos da Cisjordânia passaram a viver sob a administração israelense, e a península do Sinai, antes território egípcio, foi ocupada por Israel — um desfecho que traria ao país mais complicações e mais ataques terroristas.

A humilhação sofrida pelos árabes em 1967 ocasionou a Guerra do Yom Kippur (assim chamada devido ao Dia Sagrado dos judeus), quando Egito e Síria lançaram ataques de surpresa à península do Sinai (a leste do Canal de Suez) e às Colinas de Golan, na fronteira com a Síria, territórios ocupados por Israel. Os Estados Unidos, então governados pelo Presidente Richard Nixon, prestaram apoio militar aos israelenses. Em retaliação, um embargo petrolífero lhes foi imposto pelos países árabes filiados à OPEP (Organização dos Países Produtores de Petróleo), bem como ao Reino Unido, Japão, Canadá e Holanda, que também haviam apoiado Israel e sofreram punição idêntica. A medida provocou uma disparada da ordem de 130% nos preços do petróleo, acarretando uma recessão econômica no Ocidente (págs. 99-100). Quando as Nações Unidas iniciaram negociações para um cessar-fogo, a superioridade do exército israelense, uma vez mais, já havia prevalecido. O Sinai foi devolvido ao Egito em 1978, por meio dos históricos Acordos de Camp David, assinados na Casa Branca por Menachem Begin, primeiro-ministro de Israel, e pelo presidente egípcio Anwar Sadat, tendo o presidente americano Jimmy Carter como testemunha.

Embora os acordos entre Egito e Israel tenham se mantido, as relações entre palestinos e israelenses permanecem tensas, e o conflito entre os dois povos está longe de terminar.

Hoje, o Estado da Palestina, cuja independência foi declarada em 15 de novembro de 1988 pela OLP, é reconhecido internacionalmente pela maioria dos países-membros da ONU.

CAPÍTULO SEIS: FIM DO COLONIALISMO 141

Um Novo Imperialismo

A independência concedida pelos Estados Unidos às Filipinas após a Segunda Guerra Mundial encorajou os países europeus a desmontar seus impérios com vistas a abrir novos mercados e propiciar o desenvolvimento do capitalismo ao redor do mundo. A União Soviética também apoiou os processos de descolonização, mas com finalidade oposta: levar o comunismo aos países em desenvolvimento. Durante a Guerra Fria (pág. 142), essas ideologias contrárias financiaram lutas pelo poder entre comunistas e nacionalistas pró-Ocidente.

Em 1999, Macau, a última colônia que restava a Portugal na China continental, foi transferida para a República Popular da China. A Grã-Bretanha já havia transferido a ilha de Hong Kong para a China em 1997. Hong Kong fora cedida aos britânicos após a derrota da China na Primeira Guerra do Ópio, em 1842 (pág. 22), e desenvolvera uma economia de livre-mercado. Como parte do acordo de 1997 com a China, a ilha obteve permissão para conservar sua economia capitalista por 50 anos após a transferência.

Os territórios ultramarinos da Grã-Bretanha que restaram, como Gibraltar, Bermudas e Ilhas Falklands, votaram no sentido de manter o status; atualmente, contam com governos próprios para questões internas, enquanto a Grã-Bretanha cuida da defesa e das relações exteriores.

A era colonial europeia havia terminado. Antigas colônias foram deixadas com um legado de exploração econômica, infraestrutura colonial e prejuízos provocados por guerras. Os países africanos, em particular, têm lutado para se recuperar; e uma fartura de recursos naturais, como petróleo, cobre, ouro, diamantes e borracha tem contribuído para a recuperação de alguns deles.

Muitos observadores argumentam que o colonialismo tradicional, que envolve a ocupação física de territórios ultramarinos, foi substituído por um novo imperialismo (neocolonialismo), em que os países dominantes controlam socioculturalmente as nações economicamente dependentes, usando seus sistemas de comércio e a globalização para aumentar seu poder e sua influência.

O Fantasma da Guerra Fria

Em 1946, o líder soviético Josef Stalin declarou que o comunismo e o capitalismo jamais poderiam conviver em paz, e que os conflitos seriam inevitáveis até que a vitória do comunismo sobre o capitalismo fosse alcançada. Stalin seguia a ideologia formulada por Karl Marx, filósofo socialista do século 19.

Por outro lado, os Estados Unidos e as nações da Europa Ocidental acreditavam em economias capitalistas de livre-mercado, em eleições livres e democráticas e no direito dos indivíduos de adquirirem bens e propriedades.

Desde o momento em que foi implantado, em 1922, o primeiro Estado comunista, a URSS (págs. 58-9), proponentes de ambos os sistemas políticos (ideologias) se olharam com desconfiança, cada qual receando que o outro tivesse a intenção de destruí-lo. No final da Segunda Guerra Mundial, essa desconfiança mútua se transformou num impasse militar, quando os Estados Unidos da América e a União das Repúblicas Socialistas Soviéticas emergiram como as nações mais poderosas do mundo — superpotências com armas que poderiam destruir o planeta. Durante décadas, o mundo viveu sob a ameaça de uma possível destruição nuclear, porém, felizmente, ambos os países sempre recuavam quando a situação ameaçava fugir ao controle. Preferiam guerrear indiretamente, influenciando

CAPÍTULO SETE: O FANTASMA DA GUERRA FRIA 143

governos ou intervindo em seus assuntos para obter supremacia. Essa situação foi chamada de Guerra Fria.

Assombrosas quantias foram gastas nas rivalidades da Guerra Fria: as despesas militares americanas foram estimadas em 8 trilhões de dólares, envolvendo a aquisição de equipamentos, o financiamento de grupos anticomunistas ao redor do mundo, pesquisas de armas nucleares ou outros armamentos, Guerra da Coreia e Guerra do Vietnã. No Ocidente, essa sangria financeira contribuiu para o término da expansão econômica na metade do século; na União Soviética, apressou o fim do comunismo na Europa Oriental.

DESCE A CORTINA DE FERRO

O líder soviético Josef Stalin tinha ideias expansionistas que a Segunda Guerra Mundial contribuiu para concretizar. Em 1939, ele ajudou a forjar o inesperado Pacto Nazi-Soviético, que dividia a Polônia entre a União Soviética e a Alemanha de Hitler. No início da guerra, conforme haviam combinado (págs. 75-6), a Alemanha (em 1/9/1939) e a URSS (em 17/9/1939) invadiram a Polônia, cujo território dividiram entre si.

Em 1941, depois que a Alemanha se voltou contra a URSS, Stalin se juntou aos Aliados. Em 1944, quando a Alemanha já dava sinais de que estava sendo derrotada, os líderes Aliados se reuniram em Moscou para discutir o futuro da Europa. Bilhetes escritos pelo primeiro-ministro britânico Winston Churchill revelaram sua intenção de demarcar esferas de influência para os países Aliados após a guerra, inclusive para a União Soviética. Um ano mais tarde, na Conferência de Ialta, realizada em fevereiro de 1945, na Crimeia, Churchill e o presidente americano Roosevelt tentaram reduzir a influência soviética na Polônia. Embora estipulasse a criação das Nações Unidas (pág. 96) e a divisão da Alemanha e Berlim em áreas ocupadas, a conferência plantou sementes de suspeita entre a URSS e o Ocidente.

"Não importa. Faremos isso à nossa moda mais tarde", escreveu Stalin após a conferência ao ministro das relações exteriores soviético Vyacheslav Molotov (cujo sobrenome batizou o conhecido coquetel molotov).* O líder soviético queria não só expandir a influência da Rússia, como também estava determinado a proteger o território russo mediante a criação de Estados comunistas que servissem de tampão entre a Rússia e a Europa Ocidental.

Na Iugoslávia, a resistência liderada por Josip Tito fez a maior parte do trabalho na expulsão dos nazistas. Tito foi eleito presidente da República Popular Federativa da Iugoslávia, um Estado comunista, mas que jamais foi dominado pela URSS. Optou por ser um país não alinhado em vez de se juntar ao bloco soviético.

O Exército Vermelho liberou grande parte da Europa Oriental e dos Bálcãs da ocupação nazista e foi bem recebido principalmente pelos numerosos guerrilheiros comunistas. A URSS prestou apoio aos partidos comunistas e os ajudou a fazer propagandas e campanhas de intimidação, de modo que, em 1949, havia governos com influência ideológica soviética na Hungria, Bulgária, Romênia, Tchecoslováquia e Albânia, assim como na Polônia. No mesmo ano, esses seis países receberam a companhia da área alemã ocupada pelos soviéticos, que se tornou a República Democrática Alemã.

Na ocasião, Winston Churchill declarou: "Uma cortina de ferro desceu sobre o continente." Em resposta, Stalin o chamou de "instigador de guerras".

---

* O nome "coquetel molotov" foi criado por finlandeses. Após a invasão da Finlândia pela URSS em 1939, na chamada Guerra de Inverno, Molotov declarou em transmissões de rádio que os aviões soviéticos não estavam jogando bombas sobre o país, e sim, cestos de pães. Os finlandeses retribuíram dizendo que as garrafas que jogavam sobre os tanques inimigos não continham líquidos combustíveis, mas apenas um coquetel, o Coquetel Molotov. O nome passou a integrar o vocabulário de diversas línguas, entre elas o português, que o transformou em substantivo comum, com iniciais minúsculas. (N.T.)

CAPÍTULO SETE: O FANTASMA DA GUERRA FRIA 145

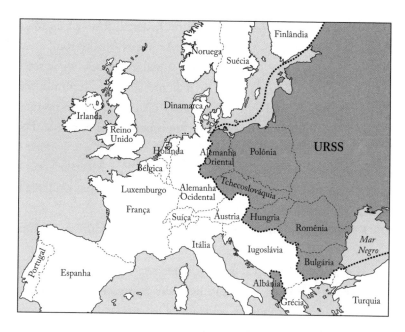

12 A Cortina de Ferro entre o Ocidente e a Europa Oriental

... SOBE O MURO DE BERLIM

Nada simbolizou tão bem o choque de culturas na Guerra Fria quanto a cidade dividida de Berlim, com um muro que separava a parte oriental da parte ocidental.

Em 1948, as áreas não soviéticas da Alemanha e de Berlim ocupadas por Grã-Bretanha, França e Estados Unidos foram unificadas e transformadas em um novo país: a Alemanha Ocidental. A resposta de Stalin foi tentar expulsar de Berlim as Forças Aliadas. Assim, mandou cortar o fornecimento de energia elétrica e ordenou a seus soldados que bloqueassem todos os acessos ao lado oeste da cidade, privando de alimentos seus habitantes.*

---

* A cidade de Berlim, considerada área especial, ficava praticamente no centro da Alemanha Oriental. (N.T.)

O único caminho para que Berlim Ocidental fosse alcançada a partir do Ocidente passou a ser pelo ar. Assim, os Aliados romperam o bloqueio com o que veio a se tornar a maior operação de abastecimento por via aérea da história. A ponte aérea de Berlim durou quase um ano, de junho de 1948 a maio de 1949, período no qual cerca de 1,5 milhão de tonelada de suprimentos foi entregue. Por fim, a URSS desistiu e levantou o bloqueio.

Esse foi o primeiro impasse da Guerra Fria e estabeleceu o padrão para as décadas seguintes. A URSS e as potências ocidentais nunca travaram batalhas diretas.

Em agosto de 1961, a União Soviética ergueu o Muro de Berlim. Os soviéticos alegaram que a medida visava impedir que a propaganda ocidental chegasse à parte oriental, mas seu principal objetivo era sustar a constante migração de alemães orientais para Berlim Ocidental e para o mundo ocidental. Os guardas na fronteira de Berlim Oriental receberam ordens para fuzilar qualquer pessoa que tentasse passar pelo muro ilegalmente. Embora o número total de mortes seja controverso, pelo menos 138 moradores do leste europeu foram mortos ao tentar escapar para o Ocidente.

Segura atrás de seus países-satélites, a URSS controlava todos os contatos que seus cidadãos pudessem ter com o Ocidente. Acusações de totalitarismo se justificavam, pois o punho de ferro do partido único suprimia a liberdade de expressão e deportava os dissidentes para os *gulags*, campos de prisioneiros na Sibéria e em outras partes inóspitas da União Soviética.

Os Estados Unidos, por sua vez, declararam-se os defensores da liberdade. Mas, no zelo de se opor ao comunismo, por vezes apoiaram regimes totalitários de direita, como a junta militar que, em 1973, no Chile, derrubou o presidente socialista Salvador Allende.

O PACTO DE VARSÓVIA UNE E DIVIDE

As tensões da Guerra Fria aumentaram quando, em 1955, a Alemanha Ocidental recebeu permissão para constituir novamente um

CAPÍTULO SETE: O FANTASMA DA GUERRA FRIA

exército — pela primeira vez desde o fim da Segunda Guerra Mundial — e para aderir à Organização do Tratado do Atlântico Norte. Estabelecida em 1949 pelos Estados Unidos, Canadá e 10 países europeus, a OTAN foi concebida como um pacto de segurança mútua: qualquer ataque a um de seus membros seria considerado um ato de hostilidade a todos. Foi a primeira aliança militar de oposição ao comunismo de uma rede que os Estados Unidos teceriam ao redor do mundo durante a Guerra Fria. Outros países, como a Austrália, ingressaram mais tarde na OTAN. Em 1951, Austrália, Nova Zelândia e Estados Unidos formaram também um pacto militar próprio, o ANZUS.*

A URSS viu a nova Alemanha militarizada como uma ameaça, e reagiu formando o Pacto de Varsóvia, uma aliança de países comunistas da Europa Oriental para a defesa mútua. O grupo de nações que não se alinhavam com OTAN e ANZUS ficou conhecido como Terceiro Mundo. O Pacto de Varsóvia permitia que tropas soviéticas ficassem estacionadas nos territórios dos países signatários, o que despertou ressentimentos em alguns deles.

Na Hungria, movimentos antissoviéticos provocaram, em 1956, um levante popular que culminou com um novo governo cujo principal objetivo era retirar o país do bloco soviético. Algo que a URSS não poderia admitir. Em novembro do mesmo ano, cerca de 1.000 tanques soviéticos invadiram Budapeste e esmagaram a nascente revolução. Milhares de soldados e civis húngaros pereceram, e 200 mil fugiram para a Áustria.

Em 1968, mais um país europeu tentou modificar seu status de satélite soviético, quando Alexander Dubcek, secretário-geral do Partido Comunista da Tchecoslováquia, decidiu implantar uma série de reformas que incluíam o fim da censura e a liberdade de imprensa. Tais reformas ficaram conhecidas como a Primavera de Praga.

---

* Nome composto com as iniciais dos nomes, em inglês, dos países participantes: *Australia, New Zealand* e *United States*. (N.T.)

A resposta soviética foi ocupar a capital, Praga, posicionando tanques na ruas e soldados em torno dos prédios do governo e dos órgãos de imprensa. Dubcek foi preso e substituído. Com isso, a oposição ao domínio soviético foi subjugada durante décadas.

A Águia Americana Mostra as Garras

Em 1947, enquanto a URSS estabelecia uma área-tampão para si mesma na Europa Oriental, o presidente americano Harry S. Truman implantou a Doutrina Truman com o propósito de conter a influência soviética (págs. 94-5). "Acredito que precisamos ajudar os povos livres a planejar seus destinos a seu próprio modo", disse Truman ao Congresso dos Estados Unidos. Essa política de contenção foi testada, no início da Guerra Fria, na Grécia e na Turquia.

Durante a ocupação alemã na Grécia, na Segunda Guerra Mundial, a resistência grega deu início a uma guerra fratricida entre comunistas e republicanos. Em 1946, uma guerra civil foi deflagrada, com a Iugoslávia prestando ajuda militar aos comunistas e a Grã--Bretanha fazendo o mesmo com os republicanos. Às voltas com problemas econômicos no pós-guerra, a Grã-Bretanha acabou tendo de retirar seu apoio. Os Estados Unidos intervieram, e a ajuda foi decisiva para a vitória dos direitistas. A Grécia se tornou, assim, o único país não comunista dos Bálcãs.

Os problemas financeiros da Grã-Bretanha também a impediram de manter seu apoio à Turquia, que, em 1947, sofria crescente pressão da URSS para permitir a instalação de bases navais soviéticas nos Estreitos Turcos, de modo a lhes franquear o acesso ao Mar Negro e ao Mediterrâneo. Navios soviéticos começaram a se aglomerar na região. Diante disso, os Estados Unidos enviaram um porta--aviões para águas turcas e concederam à Turquia ajuda econômica e militar no valor de 100 milhões de dólares. Esses primeiros confrontos da Guerra Fria estabeleceram o padrão que seria seguido nos anos seguintes.

CAPÍTULO SETE: O FANTASMA DA GUERRA FRIA

A Coreia se Divide

O destino da Coreia vinha sendo definido por outras nações desde 1910, quando o Japão a ocupou como parte de sua expansão nacionalista na Ásia (págs. 85-6). No final da Segunda Guerra Mundial, o Japão foi expulso da península e os vitoriosos Aliados dividiram o país na altura do paralelo 38. A URSS administraria a região ao norte dessa latitude, enquanto o sul foi ocupado pelos Estados Unidos.

Kim Il-sung, o governante comunista da Coreia do Norte, foi abastecido pela União Soviética com peças de artilharia e tanques. Quando os Estados Unidos se retiraram da República da Coreia, ao sul, ele desfechou um ataque de surpresa através da fronteira, visando unificar o país. O sul pediu socorro à ONU, que, por sua vez, convocou seus países-membros. Atendendo à convocação, 15 países enviaram assistência militar à região e, liderados pelos Estados Unidos, lutaram pela primeira vez sob a bandeira das Nações Unidas.

Bombardeiros impediram o Norte de prosseguir. Então, numa manobra ousada, forças da ONU comandadas pelo general americano Douglas MacArthur, desembarcaram em Inchon, por trás das linhas norte-coreanas. Logo passaram à ofensiva, avançando quase até a fronteira com a China. Isso arrastou uma nova potência para o conflito. Sentindo-se ameaçada, a República Popular da China, comunista, enviou um enorme contingente de seu Exército de Libertação Popular, que infligiu uma fragorosa derrota aos combatentes da ONU, em Unsan, e depois avançou para o sul.

MacArthur queria ampliar o conflito com uma guerra de agressão à China. Porém, em abril de 1951, numa decisão surpreendente, o presidente Truman o destituiu do cargo, explicando aos Estados Unidos que "seria errado — tragicamente errado — tomarmos a iniciativa de ampliar a guerra".

No mês seguinte, a Guerra da Coreia entrou em um extenso período de impasse e negociações, permanecendo a linha fronteiriça próxima ao paralelo 38. Finalmente, em 1953, foi assinado um armistício dividindo o país. Sob o governo de Kim Il-sung e seus herdeiros, a Coreia do Norte seguiu o caminho do totalitarismo.

Espiões, Espaço e Esteroides

O clima de desconfiança da Guerra Fria criou a era dos espiões. Agentes secretos, agentes duplos e até agentes triplos estavam por toda parte. Um deles foi Anthony Blunt, supervisor dos quadros da Rainha Elizabeth II, que, em 1964, teve reveladas suas atividades como espião soviético. As polícias secretas dos países comunistas viviam à caça de dissidentes. Nos Estados Unidos, a paranoia apelidada de "ver comunistas até embaixo da cama" culminou com o macarthismo, nome dado à caça aos comunistas encabeçada pelo Senador Joseph McCarthy, que, em 1950, começou a acusar funcionários do governo e figuras públicas, como atores, roteiristas e diretores de Hollywood, de serem subversivos e simpatizantes da União Soviética. Com a ajuda do Departamento Federal de Investigação (FBI), comandado por J. Edgar Hoover, McCarthy acusou milhares de indivíduos de deslealdade, fazendo com que muitos perdessem seus empregos mediante listas negras e prendendo centenas deles.

Foi somente quando ele se voltou contra os militares, em 1954, que o Presidente Dwight D. Eisenhower (herói da Segunda Guerra Mundial) e o Senado puseram fim a seus ataques difamatórios. Quando o macarthismo ainda estava no auge, em 1953, Julius e Ethel Rosenberg, que haviam passado informações sobre a bomba atômica para a URSS, foram executados como espiões.

A competição fomentada pela Guerra Fria se disseminou por todas as áreas da vida. Eventos esportivos se transformaram em campos de batalha, literalmente simbolizados por uma partida de polo aquático entre a Hungria e a União Soviética, nos Jogos Olímpicos de 1956, em Melbourne, na Austrália, que se tornou conhecido como "Sangue na Água". O Levante Húngaro acabara de ser subjugado pelos soviéticos (pág. 147) e os ânimos estavam tão exaltados que jogadores e espectadores começaram uma pancadaria generalizada.

CAPÍTULO SETE: O FANTASMA DA GUERRA FRIA

Obter sucesso nas Olimpíadas era considerado tão importante que os países da Europa Oriental recorreram ao abuso generalizado de drogas (dopping) para melhorar o desempenho de seus atletas.

Ambos os lados, infelizmente, boicotaram os Jogos Olímpicos por motivos políticos: os Estados Unidos permaneceram longe das Olimpíadas de Moscou (1980) para protestar contra a invasão soviética do Afeganistão; o bloco soviético, em retaliação, boicotou as Olimpíadas de Los Angeles (1984).

As rivalidades da Guerra Fria chegaram ao espaço quando EUA e URSS tentavam afirmar sua supremacia tecnológica. Em 1957, a União Soviética lançou seu primeiro satélite, o Sputnik, e colocou o primeiro homem no espaço em abril de 1961, quando Yuri Gagarin, a bordo da Vostok 1, entrou em órbita. Os Estados Unidos ficaram chocados.

No desespero por restaurar o orgulho nacional e superar a URSS na corrida espacial, o Presidente John F. Kennedy anunciou que os Estados Unidos chegariam à Lua. "Acredito que nosso país deve se empenhar em alcançar esse objetivo antes que a década termine: levar um homem à Lua e trazê-lo de volta à Terra em segurança", declarou ao Congresso americano. Em julho de 1969, sua ambição se concretizou quando Neil Armstrong e Buzz Aldrin, ao saírem da Apollo 11, tornaram-se os primeiros a pisar na Lua. Kennedy não presenciou o fato: foi assassinado em 1963. Até hoje, não se sabe por que o assassino de Kennedy, Lee Harvey Oswald, cometeu o crime.

CASTRO, CHE E CUBA

Quando a Guerra Fria começou, os Estados Unidos estavam em vantagem, dado que eram o único país que possuía a bomba atômica. Isso, porém, não durou muito, pois, em 1949, a URSS desenvolveu sua própria bomba atômica. Daí em diante, as duas superpotências travaram uma corrida armamentista, cada qual com o claro propósito de obter o maior poderio militar, capaz de dissuadir qualquer tipo de ameaça. Não era tanto um equilíbrio de poder, mas um equilíbrio de, digamos, terror. URSS e EUA, então, conseguiram produzir a temida bomba de hidrogênio (bomba H), ou bomba termonuclear, quinhentas vezes mais destrutiva que a bomba atômica usada na Segunda Guerra Mundial. Em 1962, ambos os lados dispunham de mísseis com ogivas nucleares, capazes de aniquilar toda a civilização.

O próximo objetivo militar seria desenvolver mísseis com um alcance cada vez maior. Mas, em 1959, os Estados Unidos se sentiram ameaçados por uma pequena ilha caribenha: Cuba.

Naquele ano, forças marxistas lideradas por Fidel Castro e Che Guevara derrubaram o governo direitista de Cuba, do ditador militar Fulgencio Batista, que era apoiado pelos Estados Unidos. Então, em 1961, ocorreu o fiasco da Baía dos Porcos, quando uma força invasora de cubanos de direita, patrocinados pelos Estados Unidos, fracassou na missão de conquistar o país. Esse fato levou Castro a solicitar proteção à União Soviética. Enfurecidos por ter um regime comunista em seu próprio quintal, os Estados Unidos impuseram sanções aos cubanos. Mesmo assim, Castro conseguiu enviar tropas para apoiar guerrilheiros patrocinados pela URSS em Angola e na Etiópia. Jovem, enérgico e de boa aparência, Che acabou se tornando um símbolo para jovens revolucionários de todo o mundo.

TERROR NUCLEAR: A CRISE DOS MÍSSEIS EM CUBA

O momento mais aterrorizante da Guerra Fria ocorreu em outubro de 1962, durante "a semana que mudou o mundo". Um avião americano de espionagem detectou bases de mísseis nucleares em construção na Cuba comunista de Castro, a apenas 150 quilômetros dos Estados Unidos, ou seja, mísseis poderiam atingir Miami, Nova Orleans e Washington, a capital.

Era uma ameaça que os Estados Unidos não poderiam aceitar. Em um discurso transmitido pela televisão, o Presidente Kennedy declarou: "Peço ao Secretário-Geral Khrushchev para sustar e eliminar essa ameaça que põe em risco a paz mundial e as relações estáveis entre nossas nações."

CAPÍTULO SETE: O FANTASMA DA GUERRA FRIA

Kennedy anunciou, então, um bloqueio naval de 800 quilômetros em torno da ilha, impedindo a entrada de novos carregamentos soviéticos, e avisou aos russos que qualquer ataque de mísseis a partir de Cuba acarretaria "uma retaliação completa" dos Estados Unidos contra a própria Rússia. Ele também pediu que as bases fossem fechadas e os mísseis, removidos. Nikita Khrushchev respondeu que o bloqueio "constituía um ato de agressão", e se recusou a retroceder; as belonaves soviéticas que transportavam armamentos continuaram a rumar em direção a Cuba. Nesse ponto, Kennedy ameaçou invadir Cuba, ordenando que bombardeiros com cargas nucleares fossem preparados para entrar em ação. Ao sair do Salão Oval do presidente, seu secretário de defesa, Robert McNamara, disse: "Achei que não viveria para ver mais uma noite de sábado."

Felizmente, para o mundo, nenhum dos líderes queria desencadear uma guerra nuclear devastadora. Sobre o absurdo da situação, Kennedy comentou: "É uma coisa maluca que dois homens, sentados em lados opostos do mundo, possam ser capazes de decidir acabar com a civilização." Assim, após uma conveniente exibição de garras e dentes que aterrorizou a humanidade, Kennedy e Khrushchev tiraram o mundo da iminência de uma guerra e começaram a negociar.

Os navios de guerra soviéticos deram meia-volta e a URSS retirou seus mísseis de Cuba, em troca da promessa, feita por Kennedy, de que os Estados Unidos jamais invadiriam a ilha. Houve mais uma cláusula no acordo, não revelada à população americana durante 25 anos, para que o governo não parecesse fraco: os Estados Unidos removeriam seus próprios mísseis nucleares da Turquia, lá colocados para reagir a uma possível invasão da Europa Ocidental por parte da Rússia.

As apavorantes semanas tiveram repercussão duradoura. As duas superpotências iniciaram negociações que culminaram com a proibição de testes nucleares; também foram instalados telefones entre a Casa Branca e o Kremlin para que os líderes pudessem comunicar-se diretamente. A ameaça de uma guerra nuclear entre as superpotências foi aos poucos substituída por um espírito de cooperação.

A Guerra Fria Definida no Vietnã

Durante a Primeira Guerra Mundial, objetores de consciência que se recusavam a lutar por motivos de ordem moral eram marginalizados; durante a Segunda Guerra Mundial, desempenharam funções não combatentes. Mas, na década de 1960, surgiu um movimento popular contra a guerra, que não só defendia a paz em geral, como também, especificamente, condenava a guerra contra o Vietnã.

Além de uma contenda nacionalista, a Guerra do Vietnã (1955-75) foi o conflito definitivo da Guerra Fria e um exemplo perfeito do desperdício de recursos militares e vidas humanas no afã de obter supremacia.

Após expulsar os colonizadores franceses, em 1954, o país se dividiu em Vietnã do Norte, comunista, comandado por Ho Chi Minh, e Vietnã do Sul, pró-Ocidente, controlado por Ngo Dinh Diem (págs. 128-30). Mas, em vez de realizar eleições livres como prometera, Diem se autonomeou presidente. Preocupados com o fortalecimento da presença no sul de um elemento comunista — o vietcongue[*] —, os Estados Unidos enviaram equipamentos militares, consultores e ajuda econômica a Diem. Em 1964, quando um navio americano foi alvejado no Golfo de Tonkin, os EUA foram à guerra.

No ano seguinte, 100 mil soldados americanos desembarcaram no Vietnã, reforçados por tropas da Austrália, da Nova Zelândia e de alguns países da Ásia, como Coreia do Sul, Tailândia e Filipinas. Abastecidos pela URSS e pela China, os guerrilheiros vietcongues se infiltravam no sul pela chamada Trilha Ho Chi Minh, que atravessava a selva, e se misturavam à população civil. Mesmo quando eram derrotados em determinada área, ressurgiam da selva tão logo os americanos se afastassem.

A resposta dos Estados Unidos foi espalhar minas terrestres pelas áreas rurais ou mesmo efetuar bombardeios aéreos. A substância

---

[*] Contração de uma expressão que significa "comunista vietnamita" no idioma local. (N.T.)

CAPÍTULO SETE: O FANTASMA DA GUERRA FRIA

incendiária conhecida como napalm, que se gruda à pele, provocando queimaduras horríveis, foi usada até contra civis. O herbicida venenoso chamado Agente Laranja foi empregado para destruir esconderijos dos vietcongues, mas também exterminava toda a vida na selva.

QUEIMANDO OS CERTIFICADOS DE ALISTAMENTO MILITAR

A Guerra do Vietnã foi a primeira guerra a ser televisionada ao vivo. Horrorizado, o mundo assistia a vilarejos em chamas, civis fugindo e caixões de militares sendo empilhados. Desde o início, a guerra se tornou impopular em muitos setores da sociedade americana. Protestos contra ela e contra o alistamento militar formaram parte da contracultura da década de 1960, quando jovens queimavam em público seus certificados de alistamento. O campeão mundial de boxe Muhammad Ali, afro-americano, rechaçou sua convocação em 1966, dizendo que não "ajudaria a assassinar, matar e queimar outras pessoas apenas para que brancos senhores de escravos continuassem a dominar pessoas de pele escura". Ali acabou escapando de ser preso por recusar a conscrição, embora tenha sido destituído de seu título mundial de boxe.

Um ano depois, soldados norte-vietnamitas e guerrilheiros vietcongues desfecharam uma ofensiva de surpresa. Ficou claro que os Estados Unidos estavam longe de uma vitória. Em 1969, o novo presidente americano Richard Nixon deu início a uma lenta retirada do Vietnã, e cancelou a ajuda que concedia ao país, o que inevitavelmente enfraqueceu o Sul.

As últimas tropas americanas saíram em março de 1973, mas a guerra prosseguiu. O Norte continuou a avançar até que, em abril de 1975, tomou Saigon, a capital do Vietnã do Sul. Os Estados Unidos evacuaram às pressas seus últimos representantes, juntamente com sul-vietnamitas que brigavam para ocupar um lugar nos helicópteros. Outros fugiram pelo mar, constituindo a primeira leva de refugiados embarcados que procuraram abrigo em países não comunistas.

A Guerra do Vietnã foi um choque para os Estados Unidos. Pela primeira vez no mundo moderno, seu poderio militar não havia prevalecido. Segundo o Ministério da Defesa dos Estados Unidos, a guerra custou 173 bilhões de dólares, uma sangria financeira que contribuiu para o término da expansão econômica iniciada em meados do século (pág. 99). Cerca de 60 mil americanos morreram, enquanto as baixas vietnamitas provavelmente superaram a casa do milhão — a maioria civis. Além disso, a guerra custou ao governo americano o apoio de grande parte da opinião pública.

Um Passo Maior que a Perna

Na década de 1970, a Guerra Fria entre EUA e URSS mostrou alguns sinais de arrefecimento, com ambos os lados se afastando da iminência de uma guerra nuclear e tentando estabelecer tratados que sinalizassem um relaxamento formal das tensões. Em 1972, o presidente americano Richard Nixon visitou a China e a União Soviética. O primeiro Tratado sobre Limites para Armas Estratégicas (SALT, na sigla em inglês) foi assinado no final do ano. O SALT II foi assinado em 1979. Porém, no mesmo ano, a URSS invadiu o Afeganistão e as tensões da Guerra Fria ressurgiram.

Assim como a Guerra do Vietnã demonstrou que os Estados Unidos não ganhavam todas, a guerra dos soviéticos no Afeganistão, em 1979, provou que o Exército Vermelho não era imbatível. Na tentativa de sustentar o regime comunista do Afeganistão, ameaçado por insurgentes conservadores e muçulmanos, a União Soviética, em um primeiro momento, enviou ao país consultores militares; em seguida, iniciou uma invasão em grande escala, instalando um regime fantoche no Afeganistão.

Os guerrilheiros muçulmanos, conhecidos como mujahidin ("envolvidos na guerra santa"), receberam armas e verba dos Estados Unidos, Paquistão e Arábia Saudita. Quando conseguiram mísseis terra-ar, a URSS começou a perder o domínio aéreo no Afeganistão. Um dos grupos fundados pelos anticomunistas foi o Talibã, que

CAPÍTULO SETE: O FANTASMA DA GUERRA FRIA

instalou no país um tirânico regime islâmico e deu abrigo ao grupo terrorista Al-Qaeda (págs. 178-9).

Eleito presidente em 1981, o republicano Ronald Reagan, anticomunista feroz, chamava a URSS de "império do mal". Reagan aumentou os gastos militares, iniciou uma nova era de intervenções na América Latina — armando, por exemplo, os Contras (direitistas da Nicarágua) —, e concebeu a Iniciativa Estratégica de Defesa, um programa de satélites espaciais de defesa que se tornou conhecido como Guerra nas Estrelas. Enquanto isso, em meados da década de 1980, a União Soviética se viu mergulhada em profundos problemas econômicos. Já não poderia mais fazer frente aos Estados Unidos na corrida armamentista ou em influência global.

GLASNOST E PERESTROIKA

Em 1985, Mikhail Gorbachev se tornou o novo líder da União Soviética. Às voltas com uma base industrial envelhecida, um governo que se tornara corrupto, impopular e ineficiente, além das despesas da guerra no Afeganistão, Gorbachev adotou medidas radicais que transformariam o mundo.

Esperando revitalizar a economia e desenvolver a URSS para transformá-la em uma democracia moderna, Gorbachev implementou a política da glasnost ("abertura"), que incluía a abolição da censura estatal, e a perestroika ("reestruturação").

Incapaz de acompanhar o desenvolvimento militar dos Estados Unidos, Gorbachev começou a retirar suas tropas do Afeganistão; em 1989, os últimos soldados soviéticos deixaram o país, legando um cenário caótico. Gorbachev iniciou então uma série de reuniões com o presidente americano Ronald Reagan, abrindo as conversas sobre o Tratado de Redução de Armas Estratégicas (START, na sigla em inglês).

Certos de que Gorbachev não usaria a força militar contra eles, diversos países da Europa Oriental começaram a considerar a retirada do bloco soviético, o que representou mais um passo no processo que resultaria no colapso da URSS.

O Solidariedade Agita a Polônia

Embora elementos capitalistas nos Estados Unidos tentassem controlar as organizações sindicais, os americanos secretamente apoiavam um sindicato na Polônia. Após a Segunda Guerra Mundial, os sindicatos se tornaram parte do controle da Europa Oriental pelo aparato do Partido Comunista. O primeiro sindicato não controlado pelo Partido Comunista em um país do Pacto de Varsóvia (págs. 146-8) foi o Solidariedade, da Polônia, fundado em 1980 por trabalhadores dos estaleiros da Polônia, sob a liderança de Lech Walesa. As greves promovidas pelo sindicato se converteram em protestos sociais contra o governo comunista, que reagiu banindo o Solidariedade. Mas seus membros já haviam conseguido transformar o sindicato em um movimento popular que clamava por mudanças sociais e pelos direitos dos trabalhadores. Como o Solidariedade se opunha também à dominação soviética, era financiado secretamente pelos Estados Unidos.

O Solidariedade se transformou em partido político. Em 1989, o governo comunista polonês se viu forçado a fazer concessões e permitir eleições livres, que o Solidariedade venceu. Lech Walesa foi eleito presidente, o primeiro não comunista a governar o país desde a Segunda Guerra Mundial, demonstrando que uma organização de trabalhadores era capaz de mudar um regime.

A União Soviética se Desintegra

O ano de 1989 veio a ser de grande importância, pois assinalou o fim da Guerra Fria. A Hungria abriu sua fronteira com a Áustria; houve revoluções em várias nações da Europa Oriental; em novembro de 1989, a Alemanha Oriental abandonou seu controle sobre o Muro de Berlim. Símbolo das divisões da Guerra Fria, o muro foi derrubado pelos berlinenses, tanto do lado oriental como do ocidental. Em dezembro, Gorbachev e o presidente americano George Bush declararam terminada a Guerra Fria.

O colapso do comunismo na Europa Oriental e o desmantelamento da URSS ocorreram de um modo incrivelmente rápido.

CAPÍTULO SETE: O FANTASMA DA GUERRA FRIA

A Alemanha se reunificou em 1990, o mesmo ano em que a Lituânia se declarou independente da União Soviética. Em 1991, Gorbachev saiu do poder, e seu sucessor, Boris Yeltsin, devolveu a URSS às suas 15 nações originais, com a Federação Russa herdando os direitos políticos da autoridade central soviética. De repente aliados, os EUA deram total apoio a Yeltsin nas reformas que levaram a Rússia do comunismo ao capitalismo.

GUERRA E PAZ NA RÚSSIA

Nem tudo transcorreu de forma pacífica, entretanto, nas antigas repúblicas soviéticas. Em alguns casos, divisões étnicas que existiam havia séculos explodiram em guerras civis, como entre Geórgia e Azerbaijão. A própria Rússia interferiu na região da Chechênia, quando pró-russos se opuseram ao movimento checheno de independência. O conflito checheno culminou com atos de terrorismo, praticados por adeptos do movimento, e violações dos direitos humanos praticados em retaliação por tropas russas estacionadas no território, com a violência se estendendo pelo século 21.

Embora a Guerra Fria tivesse terminado, os arsenais nucleares foram mantidos. Novos SALTs (pág. 156) resultaram em um acordo de redução de armas em 1991, com novas reduções em 1993, 2002 e 2010. De um pico de 30 mil, Estados Unidos e Rússia reduziram seus arsenais nucleares para cerca de 1.500 mísseis.

CHINA SURGE À ESQUERDA DO PALCO

Não obstante a Guerra Fria ter sido sobretudo um confronto entre os Estados Unidos capitalistas e a URSS comunista, a China, a outra grande potência comunista do mundo, teve também uma função: substituiu a União Soviética, após a Guerra Fria, como a única superpotência além dos Estados Unidos.

A China começou a desempenhar um importante papel nos assuntos globais já na Segunda Guerra Mundial (págs. 62-7), quando sua luta contra a invasão japonesa se tornou parte do conflito. Nesse período, os revolucionários do Partido Comunista Chinês (PCC) firmaram uma constrangida aliança com o Kuomintang, o partido nacionalista chinês (KMT), direitista, liderado por Chiang Kai-shek. Mas a guerra civil explodiu novamente em 1946. O PCC se apoderou de equipamentos militares deixados para trás pelos japoneses e também recebeu armamentos da União Soviética. Chefiado por Mao Tse-tung, que chegou ao poder durante a Longa Marcha comunista para a segurança, em 1934-5 (pág. 63), o PCC expulsou o KMT do país. Em 1949, Kai-shek fugiu para a ilha de Taiwan, lá estabelecendo a República da China, enquanto Mao entrava em Pequim e fundava a República Popular da China (RPC). Conquanto seja um incômodo para os comunistas e nunca tenha sido reconhecida formalmente pela RPC, Taiwan permanece independente.

A jovem RPC recebeu consultores e ajuda da URSS. Durante algum tempo, Mao seguiu o padrão stalinista de Planos de Cinco Anos e rápida industrialização. Seguiu também o padrão stalinista de incentivar o comunismo nas terras vizinhas ao apoiar os comunistas na Guerra da Coreia, de 1950 a 1953, e na guerra de independência do Vietnã, em 1954 (pág. 128). Embora o exército chinês não tenha tomado parte na Guerra do Vietnã, o PCC forneceu armas e alimentos aos marxistas vietnamitas, assim como apoiou outros grupos comunistas na Ásia e na África. Mas Mao não era um lacaio soviético; diferenças ideológicas acabaram acarretando a ruptura sino-soviética, em 1960.

A China não se preocupou com as críticas internacionais pelo tratamento que dispensou ao Tibete, inicialmente em 1951, quando a RPC invadiu o território tibetano; depois, em 1959, quando esmagou uma rebelião no país, o que levou o líder espiritual do Tibete, o Dalai Lama, a fugir para a Índia. E também por se recusar continuamente a discutir a independência do Tibete, em meio a relatos de violações aos direitos humanos naquele país praticadas pelo Partido Comunista Chinês.

CAPÍTULO SETE: O FANTASMA DA GUERRA FRIA 161

Internamente, Mao incluiu reformas em suas políticas, como a proibição de casamentos forçados, a construção de escolas e a redistribuição de terras para cooperativas de agricultores. Contudo, Mao também implantou projetos esdrúxulos, como a Grande Campanha dos Pardais, em 1958, uma tentativa de impedir que pardais comessem as safras de arroz e outros cereais. Mas, como pássaros comem insetos, à medida que os pardais morriam, pragas de insetos causavam mais estragos nas lavouras. Isso, somado a secas e a projetos de irrigação malconcebidos, provocou uma fome generalizada entre 1959 e 1961. Pelo menos 15 milhões de chineses pereceram. A Campanha dos Pardais fez parte do Grande Salto para a Frente, programa destinado a incrementar o crescimento industrial e agrícola, que acabou falhando fragorosamente.

Mao abdicou do posto de chefe de governo em 1959, mas permaneceu como secretário-geral do Partido Comunista Chinês. Ao sentir que a China se afastava sorrateiramente da ideologia coletivista que defendia, sua próxima medida importante foi incentivar a chamada Revolução Cultural (1966-76), ordenando aos jovens das chamadas Guardas Vermelhas que aniquilassem qualquer coisa ou qualquer pessoa que julgassem ser contrarrevolucionária ou associada a velhos hábitos, costumes, ideias e culturas. Mao foi apoiado pela Camarilha dos Quatro, formada pelos políticos radicais Jiang Qing (esposa de Mao), Zhang Chunqiao, Yao Wenyuan e Wang Hongwen.

Os Guardas Vermelhos criaram um culto à personalidade em torno de Mao. Trechos de discursos e textos seus, publicados a partir de 1964 como *Citações do Comandante Mao Tse-tung*, mais comumente conhecido como *O Livro Vermelho*, viraram objeto de veneração. Em 1967, os Guardas Vermelhos se tornaram tão radicais e violentos que o exército foi convocado a restaurar a ordem pública, e muitos foram, eles mesmos, enviados para centros de "reeducação".

Ocupando o Centro do Palco

Enquanto a Revolução Cultural Chinesa defendia uma nova luta contra o "pensamento capitalista", o popular diplomata Zhou Enlai tomava providências para que a China viesse a desempenhar um papel relevante no palco mundial. Em 1971, a China ingressou na ONU, ocupando, mais tarde, um assento permanente no Conselho de Segurança. Zhou também entabulou negociações com os Estados Unidos, com o propósito de reduzir as tensões da Guerra Fria. Em 1972, Richard Nixon se tornou o primeiro presidente americano a visitar a China. Foi um grande passo no sentido de melhorar as relações internacionais.

A transformação da China, de um país de economia familiar agrícola para o gigante econômico de hoje, foi iniciada após a morte de Mao, em 1976. A Camarilha dos Quatro foi presa, acusada de tramar um golpe. Enquanto isso, o moderado Deng Xiaoping adquiria proeminência política. Ele cancelou a política de coletivização em massa praticada por Mao, permitiu que a influência estrangeira se disseminasse na China e deu início a experimentos capitalistas.

A primeira "Zona Econômica Especial" chinesa foi implantada em 1981, em Shenzhen, sob cuidadoso controle. Empresas estrangeiras foram convidadas a investir na China pela primeira vez, regulações comerciais foram relaxadas e restrições governamentais, levantadas. O crescimento econômico nas zonas especiais foi tão rápido (a produção industrial chinesa dobrou em cinco anos) que, em 1985, Deng permitiu que as forças de mercado prevalecessem no país, encorajando as empresas privadas, privatizando as estatais e dando boas-vindas aos investimentos estrangeiros.

Em 1992, Deng declarou que a China tinha uma "economia socialista de mercado", o que, no final do século 20, foi considerado um milagre. O país se tornou mais próspero e estável do que fora durante séculos. O produto interno bruto (PIB) começou a crescer em torno de 10% ao ano, e o padrão de vida melhorou para cerca de 400 milhões de pessoas. Surgiram empresários milionários, enquanto importações e exportações fluíam pelas fronteiras chinesas.

CAPÍTULO SETE: O FANTASMA DA GUERRA FRIA

Em 2004, o PIB da China foi superior a 1,65 trilhão de dólares, com 1,15 trilhão em comércio exterior e investimentos estrangeiros no país chegando a 60 bilhões. Cerca de 300 milhões de pessoas deixaram as áreas rurais e foram trabalhar nas cidades.

A gigantesca economia da China moderna também trouxe problemas: a par de empresários milionários, há trabalhadores muito pobres, em sua maioria oriundos das áreas rurais; as cidades estão poluidíssimas e o desmatamento criou desertos. Internacionalmente, a China é o maior consumidor mundial de matérias-primas, e seus manufaturados baratos provocaram o declínio de muitas indústrias em outros países.

Deng não era nenhum liberal no aspecto social. Em 1989, enviou tanques contra manifestantes que reivindicavam democracia, tendo como resultado o famoso Massacre na Praça de Tiananmen (ou Praça da Paz Celestial); e a política chinesa de direitos humanos tem sido alvo de críticas. Já em sua nova condição de potência econômica e militar, a China vivenciou um impasse no estilo da Guerra Fria com os Estados Unidos antes que o século terminasse; o motivo foram as manobras militares que os chineses realizaram ao largo de Taiwan.

Mergulhando na Crise

A última parte do século 20 foi moldada por inúmeras crises, mas nada comparado a duas guerras mundiais.

Enquanto recessões econômicas, geradas principalmente por inflação alta, atormentavam o mundo desenvolvido no início e no final da década de 1980, e novamente no início da década de 1990, partes do mundo em desenvolvimento sofreram com insurgências, guerras civis, fome, genocídio e limpeza étnica.

Influências do stalinismo e da Guerra Fria afloraram no Camboja no final da década de 1960, resultando em um genocídio sob o regime comunista de Pol Pot. O desmantelamento da Rússia soviética e da Europa Oriental deflagrou o colapso da federação iugoslava na década de 1990, que incluiu uma brutal limpeza étnica. Conflitos étnicos também provocaram massacres genocidas em Ruanda. Ajuda humanitária internacional foi concedida a nações africanas em dificuldades após o fim do colonialismo, com diferentes níveis de sucesso.

Desastres industriais viraram manchete, como a tragédia do vazamento de gases tóxicos em Bophal, na Índia, em 1984, e a catástrofe nuclear de 1986 em Chernobil, na Ucrânia (ainda integrante da URSS). Instabilidades políticas assolaram o Oriente Médio, transformando-se em uma guerra entre o Irã e o Iraque.

CAPÍTULO OITO: MERGULHANDO NA CRISE

Nos Estados Unidos, a moralista Guerra às Drogas se transformou em um exemplo da política de "tolerância zero" da era Reagan, tendo sido considerada um fracasso em seu propósito de acabar com o tráfico de entorpecentes. Trinta anos mais tarde, o Presidente George W. Bush declararia a Guerra ao Terror (págs. 178-9), quando o terrorismo islâmico se tornou um componente do cenário do século 20.

O GENOCÍDIO DE POL POT

No final da década de 1960, o conflito no Vietnã traria consequências para o Camboja, país vizinho. O resultado trágico seria o genocídio cometido pelo ditador comunista cambojano Pol Pot contra seu próprio povo, que causou a morte de aproximadamente 2 milhões de pessoas por inanição, execuções ou trabalhos forçados.

Uma das coisas que propiciaram o genocídio foi a Guerra do Vietnã (pág. 154), que transbordou para o Camboja levando desestabilização e guerra civil. O Khmer Vermelho, organização comunista cambojana liderada por Pol Pot, se aliara ao Vietnã do Norte para combater o governo do Reino do Camboja, que se tornara independente da França em 1953.

As forças de Pol Pot realizaram um levante contra o primeiro-ministro do Camboja, Norodom Sihanouk, em 1968. Ao mesmo tempo, o Vietnã do Norte abastecia os comunistas que estavam no Vietnã do Sul através da Trilha Ho Chi Minh, que atravessava o leste do Camboja, enquanto os Estados Unidos bombardeavam as bases existentes ao longo da trilha. Quando o governo cambojano começou a ter ajuda dos EUA, em 1970, e permitiu que os ataques aéreos se intensificassem, Pol Pot recebeu armas da China e do Vietnã do Norte. Muitos cambojanos o apoiaram, não por serem comunistas, mas simplesmente por preferirem a influência asiática da China e do Vietnã à influência dos Estados Unidos; muitos também estavam enfurecidos contra os americanos, cujos bombardeios matavam tanto cambojanos como norte-vietnamitas.

166   A HISTÓRIA DO SÉCULO 20 PARA QUEM TEM PRESSA

Em abril de 1975, o Khmer Vermelho tomou Phnom Pehn, a capital do Camboja, retirando os poderes de Sihanouk. Pol Pot iniciou, então, um reinado de terror. Decidido a criar um Estado proletário-camponês, começou a esvaziar as cidades, forçando a população a migrar para campos de trabalho. Qualquer indivíduo suspeito de simpatizar com o Ocidente ou mesmo de estar associado ao regime anterior seria executado. Um ditado *khmer* afirmava: "Poupar você não é lucro, destruir você não é prejuízo." Os locais onde se realizavam execuções em massa ficaram conhecidos como "campos da morte".

Em 1978, Pol Pot se voltou contra o Vietnã, então um Estado comunista apoiado pelos soviéticos. Em resposta, o Vietnã invadiu o Camboja, e o Khmer Vermelho fugiu, revertendo à condição de guerrilha na selva; numa grotesca reviravolta, começou a receber, secretamente, ajuda dos Estados Unidos e do Reino Unido, que o viam como uma opção melhor que o Vietnã. Em 1991, a ONU organizou eleições livres no Camboja, mas as operações do Khmer Vermelho prosseguiram até a morte do sanguinário ditador, em 1998.

Ilha de Guerra

Como ocorrera tão frequentemente nos conflitos étnicos do século, a Guerra Civil do Sri Lanka (1983-2009) foi exacerbada pela interferência colonial. Quando a Grã-Bretanha dominou o Ceilão, em 1802, havia duas pequenas regiões no norte e no leste da ilha ocupadas pelo povo tâmil originário do sul da Índia, praticante do hinduísmo, enquanto boa parte da população era cingalesa e praticante do budismo. Os britânicos trouxeram mais tâmeis da Índia para trabalhar na agricultura, elevando o número de sua população na ilha.

O Ceilão obteve sua independência em 1948. No ano seguinte, os cingaleses iniciaram um processo discriminatório contra a minoria tâmil. Em 1972, o país mudou o nome para Sri Lanka. Um grupo que defendia direitos iguais, os Tigres de Libertação da Pátria Tâmil (TLPT ou Tigres Tâmeis), foi fundado em 1976; no ano seguinte,

CAPÍTULO OITO: MERGULHANDO NA CRISE

um partido separatista venceu as eleições parlamentares nas áreas tâmeis, ocupando todas as cadeiras. As tensões étnicas começaram a aumentar. Então, em 1983, os Tigres Tâmeis iniciaram uma guerra pela independência.

A luta continuou até 1987, quando a Índia impôs um cessar--fogo que não durou muito tempo. Precisando resolver problemas em casa, as tropas indianas acabaram deixando a ilha em 1990, sem conseguir estabilizar a região, e a guerra foi retomada. Por recorrerem ao uso de assassinatos, explosões suicidas e massacres, os Tigres Tâmeis foram classificados como terroristas por 32 países.

As forças governamentais também foram acusadas de atrocidades, tais como estupros, chacinas de civis e de prisioneiros. Acusações impossíveis de serem verificadas, pois os jornalistas e os grupos de direitos humanos foram banidos das áreas de conflitos no norte e no leste.

Em 2008, o governo desfechou uma ofensiva maciça e empurrou o TLPT até um pequeno bolsão no norte, encurralando cerca de 130 mil civis na área de conflito. Os Tigres foram acusados de usar civis como escudos humanos, impedindo que fugissem.

Finalmente, em maio de 2009, os Tigres Tâmeis admitiram a derrota e a longa guerra terminou. Uma província tâmil semiautônoma foi instituída, mas as tensões não terminaram. Corroboradas por vídeos divulgados após a guerra, as Nações Unidas acusaram ambos os lados de cometer crimes de guerra. Até hoje, a reconciliação no Sri Lanka não foi completada.

A LIMPEZA ÉTNICA ENTRA NO DICIONÁRIO

A Guerra Civil Iugoslava, da década de 1990, remonta ao fim do comunismo na Europa Oriental. A Federação Iugoslava, comunista, criada após a Segunda Guerra Mundial, era mantida coesa pelo Presidente Josip Tito. Mas as várias repúblicas e províncias balcânicas que constituíam a federação abrigavam diferentes etnias, idiomas e religiões.

Após a morte de Tito, em 1980, a federação continuou unida até a desintegração do comunismo centralizado, em 1989 (págs. 158-9). Os nacionalistas venceram as primeiras eleições livres, em 1990 e 1991, e a independência foi declarada na Eslovênia, Croácia e Macedônia. Como muitas vezes acontece, havia fatores econômicos por trás de alguns dos nacionalismos: a Eslovênia e a Croácia eram as regiões mais ricas e não queriam mais dividir sua prosperidade, enquanto os remanescentes da Federação Iugoslava estavam decididos a não perdê-las.

A guerra eclodiu em julho de 1991. O exército iugoslavo atacou a Eslovênia, mas não conseguiu controlá-la. Na Croácia, milícias sérvias apoiadas pelo exército iugoslavo (controlado pelos sérvios) iniciaram uma limpeza étnica — expulsando ou matando membros de outros grupos étnicos — e, em 1992, apoderaram-se de um terço do país. Um cessar-fogo foi negociado pelas Nações Unidas e se manteve até 1995, quando, então, o exército croata atacou e recuperou os territórios ocupados pela Sérvia.

Em 1992, a Bósnia declarou independência, mas o exército iugoslavo reforçou as milícias de bósnios-sérvios (bósnios de etnia sérvia), que sitiaram a capital Sarajevo e iniciaram uma limpeza étnica em outras partes. A guerra logo descaiu para uma das piores formas de nacionalismo do século 20: o genocídio. Em 1995, embora Srebrenica fosse supostamente um refúgio protegido pela ONU, os sérvios massacraram cerca de 8.000 homens e garotos na cidade.

Foi somente em agosto, quando os sérvios bombardearam o mercado de Sarajevo, que a ONU e a OTAN reagiram em uma verdadeira exibição de força, impondo um acordo de paz que dividia a Bósnia em duas partes.

Em 1999, a OTAN interveio de novo na região, bombardeando a Sérvia, quando esta reprimiu brutalmente um levante no Kosovo. Em 2006, Montenegro se retirou da federação que formava com a Sérvia e, em 2008, o Kosovo se tornou independente da Sérvia, completando, assim, o desmantelamento da antiga Iugoslávia.

O conflito nos Bálcãs foi o pior ocorrido na Europa desde a Segunda Guerra Mundial, gerando a assustadora expressão "limpeza étnica" e chocando o mundo. O belicoso Slobodan Milosevic, também conhecido como "o carniceiro dos Bálcãs", presidente da Sérvia, foi um dos muitos indivíduos que mais tarde seriam acusados e condenados pela ONU, em Haia (2002), por crimes de guerra.

13 Repúblicas e províncias iugoslavas

Ditadores do Irã e do Iraque

Durante o último quarto do século, o Oriente Médio não se mostrou mais estável que os Bálcãs. No Irã, o Rei (ou xá, no Irã) Mohammad Pahlevi, pró-Ocidente, fugiu do país em 1979, após manifestações contra seu reinado. Um regime islâmico fundamentalista e antiocidental, chefiado pelo Aiatolá Khomeini, assumiu o poder. A produção iraniana de petróleo despencou, o que provocou alta de preços.

Quando o xá viajou aos Estados Unidos para se submeter a um tratamento de saúde, os iranianos interpretaram o fato como um apoio formal a ele. Manifestantes invadiram, então, a embaixada americana em Teerã, tomando funcionários e marines como reféns. Em resposta, os EUA impuseram sanções ao Irã e, na guerra que irrompeu entre o Irã e o Iraque do ditador Saddam Hussein, em 1980, forneceram armas e equipamentos ao Iraque.

Saddam invadiu o Irã porque seu partido laico, o Baath, temia que extremistas islâmicos xiitas provocassem revoltas entre a comunidade xiita do Iraque. Reivindicou também a província fronteiriça do Khuzestão, visando obter o controle total do rio Shatt al-Arab, usado por ambos os países para exportar petróleo. Seguiram-se oito anos de conflitos, de 1980 a 1988, que quase puseram fim à produção iraniana de petróleo e reduziram fortemente a produção do Iraque, desencadeando recessão mundial.

Em 1990, Saddam invadiu o Kuwait sob a alegação de que estava retomando territórios que haviam pertencido ao Iraque, mas seu verdadeiro motivo era controlar os poços de petróleo. Uma força internacional liderada pelos Estados Unidos expulsou suas tropas em 1991, no conflito que ficou conhecido como Guerra do Golfo. Muitos dos soldados iraquianos que batiam em retirada foram mortos por ataques aéreos na Rodovia 80, que ligava o Kuwait ao Iraque e se tornou conhecida como Estrada da Morte.

Após o cessar-fogo, Saddam passou a reprimir com brutalidade os curdos e outras minorias que se rebelavam. O mundo assistiu passivamente aos acontecimentos até 2003, quando, então, os EUA acusaram Saddam de desenvolver armas de destruição em massa, violando o acordo assinado em 1991. Liderando uma coalizão internacional, os Estados Unidos lançaram outra guerra contra o Iraque, invadindo seu território e derrubando Saddam, que fugiu, mas acabou capturado em dezembro de 2003 e executado em 2006 por crimes contra a humanidade. Nenhuma arma de destruição em massa foi encontrada.

Live Aid

Enquanto muitos países da Ásia e da América Latina se desenvolveram significativamente durante a segunda metade do século 20, os países africanos permaneceram subdesenvolvidos após a descolonização. Alguns enfrentaram guerras civis, como Serra Leoa (1991-2002), Libéria (1989-96 e 1999-2003), Congo (1993-4 e 1997-9), Etiópia (1974-91) e Somália (desde 1991). Na década de 1980, guerras, combinadas com fome, na Etiópia e na Somália, ambos países da África Oriental, captaram a atenção do mundo e contribuíram para a implementação de ajuda humanitária em escala global, sob a forma de alimentos, equipamentos, treinamento e recursos financeiros.

A Etiópia, ocupada pela Itália na década de 1930 e libertada pelas forças do Império Britânico em 1941, na Campanha da África Oriental, obtivera sua independência em 1944. Seguiram-se levantes contra o governo e guerras. Em 1974, o ditador militar Mengistu Haile Mariam, que usufruía de apoio soviético, tomou o poder, mas seu sistema de fazendas coletivas estatais fracassou, provocando fome generalizada durante uma seca que durou de 1983 a 1985.

As potências ocidentais relutavam em negociar com o regime socialista etíope, que, segundo afirmavam, agravara as dificuldades ao desviar recursos valiosos, inclusive ajuda humanitária, para um conflito armado contra a vizinha Eritreia. Mas a cobertura da mídia, exibindo etíopes descarnados, canalizou milhões de dólares em doações para o país, assim como o festival *Live Aid* (Ajuda Humanitária ao Vivo, em tradução livre), organizado pelo músico Bob Geldorf e realizado em Londres e em outras quatro cidades do mundo, no dia 13 de julho de 1985. Os fundos arrecadados salvaram vidas, mas a distribuição às vítimas da fome foi problemática, e cerca de 500 mil pessoas pereceram.

A intervenção humanitária foi debatida com veemência na crise da Somália, em 1990. Localizada no chamado Chifre da África e república independente desde 1960, a Somália entrou em uma destrutiva guerra civil em 1991, depois que sua administração socialista fracassou. Secas e guerras entre déspotas mataram de fome mais de 300 mil pessoas.

As Nações Unidas enviaram ajuda humanitária à Somália durante um cessar-fogo em 1992, mas os funcionários foram atacados e os suprimentos, roubados. Com milhões de seres humanos sob ameaça de morte por inanição, os Estados Unidos, então governados pelo Presidente George Bush, lideraram uma força-tarefa da ONU encarregada de distribuir alimentos nos primeiros meses de 1993, que minorou a crise. Seu sucessor, o recém-eleito Bill Clinton, decidiu, então, reduzir a presença militar de seu país em Mogadíscio, a capital somali, deixando apenas uma força das Nações Unidas para restaurar a lei e a ordem. Um mês depois, 24 soldados da ONU foram mortos — em um incidente atribuído ao déspota Farrah Aidid —, o que o levou a ser caçado pelas forças internacionais. Entretanto, a perda de dois helicópteros Black Hawk e imagens de corpos de soldados americanos sendo arrastados pelas ruas de Mogadíscio chocaram os Estados Unidos, forçando Clinton a retirar as tropas americanas em 1995. A missão para encontrar Aidid fracassara.

As lições aprendidas na Somália levaram Clinton a restringir o envolvimento americano em intervenções humanitárias armadas. Na Bósnia, durante a Guerra Civil Iugoslava (págs. 167-9), as tropas de paz foram avisadas a não reagir caso alvejadas, pelo temor de cruzar a "linha Mogadíscio". A partir daí, a ONU se manteve longe de guerras civis.

Ações afirmativas de longo prazo para ajudar países em desenvolvimento incluíram o chamado movimento do comércio justo ("Comércio em vez de Ajuda"), implantado na década de 1960, com ênfase na assistência a produtores nos países em questão para que desfrutassem de relações comerciais justas e sustentáveis. Organizações internacionais do pós-guerra, como o Fundo Monetário Internacional (FMI), o Banco Mundial e o Fundo das Nações Unidas para a Infância (UNICEF), também ajudaram inúmeros países a se desenvolver e a combater a pobreza.

CAPÍTULO OITO: MERGULHANDO NA CRISE

Matança com Facões em Ruanda

As Nações Unidas enfrentaram muitas críticas por seu fracasso em impedir o genocídio de 1994 em Ruanda.

O pequeno país centro-africano, localizado na região dos Grandes Lagos, colônia da África Oriental Alemã desde a década de 1880, foi repassado à Bélgica após a Primeira Guerra Mundial. Tanto a Alemanha como a Bélgica perpetuaram, na população ruandesa, uma longa divisão entre os grupos étnicos tútsi, minoritários mas dominantes, e hutu, majoritários porém dominados.

A Bélgica governou com a ajuda da monarquia tútsi durante a década de 1950. No período que antecedeu a independência do país, as tensões entre tútsis e hutus aumentaram, culminando na Revolução Ruandesa, que durou de 1959 a 1961. Tentando restabelecer a ordem, os belgas substituíram muitos dos chefes tútsis por hutus, obrigando o rei tútsi a fugir do país. Quando Ruanda finalmente obteve a independência, em 1962, e um líder hutu foi eleito, 300 mil tútsis fugiram para países vizinhos, onde alguns deles formaram milícias. Seus ataques a Ruanda foram reprimidos violentamente pelo governo hutu, que também matou milhares de tútsis em Ruanda.

Em 1994, o assassinato do presidente hutu Juvénal Habyarimana foi atribuído ao grupo rebelde tútsi Frente Patriótica Ruandesa (FPR). Um dia depois, o exército e a polícia de Ruanda, bem como milícias patrocinadas pelo governo, começaram a matar tútsis em todo o país e a encorajar civis hutus a matar com facões seus vizinhos tútsis. A FPR reagiu, levando muitos hutus a se refugiar no Zaire (hoje República Democrática do Congo), Uganda, Tanzânia e Burundi — países vizinhos que tiveram de lidar com milhões de refugiados. Depois que vários soldados da tropa de paz também foram mortos, a ONU diminuiu seus efetivos em Ruanda. Os que ficaram tiveram que assistir desamparadamente ao massacre de ruandeses. Entre 500 mil e 1 milhão foram mortos (cerca de um décimo da população) durante o genocídio, que durou 100 dias.

174   A HISTÓRIA DO SÉCULO 20 PARA QUEM TEM PRESSA

Mais 12 mil morreriam em campos de refugiados, de disenteria e cólera.

Liderada por Paul Kagame, a FPR assumiu o governo e iniciou a reconstrução de um país devastado. Desde o ano 2000, a economia de Ruanda tem crescido vertiginosamente.

O genocídio em Ruanda consternou tanto o mundo ocidental que acabou apressando a implementação do Tribunal Penal Internacional, na cidade holandesa de Haia, implantado em 2002 e com jurisdição para processar indivíduos por genocídio, crimes contra a humanidade e crimes de guerra.

DESASTRES INDUSTRIAIS

A expansão industrial ao longo do século 20 acarretou inúmeros desastres industriais, do desmoronamento de minas a explosões de fábricas de produtos químicos. Na década de 1980, dois chamaram a atenção internacional. O vazamento de gás venenoso em Bhopal, na Índia, foi notável pelo número de mortes que causou: cerca de 15 mil. O derretimento nuclear em Chernobil, no oeste da União Soviética (hoje na Ucrânia), embora não tenha causado mais que 34 mortes, foi o pior acidente em uma usina nuclear na história e suscitou temores de que a radiação atingisse a Europa Ocidental, provocando mutações e mortes por câncer.

O vazamento de gás na densamente povoada Bhopal ocorreu em uma fábrica de produtos químicos da empresa americana Union Carbide. Na década de 1980, a fábrica produzia um componente tóxico usado em pesticidas, o isocianato de metila (MIC), enquanto reduzia custos em procedimentos de segurança. Na madrugada de 3 de dezembro de 1984, uma válvula se quebrou sob pressão, permitindo que entrasse água em um tanque de MIC. O incidente gerou uma nuvem de gás tóxico que cobriu a cidade. Muitos moradores fugiram em pânico, mas, já nos primeiros dias, cerca de 3.800 pessoas morreram e milhares necessitaram de tratamento hospitalar. As compensações que a Union Carbide pagou às vítimas em

CAPÍTULO OITO: MERGULHANDO NA CRISE

1989 foram consideradas insuficientes (o julgamento foi na Índia, e não nos Estados Unidos) e ações judiciais contra a empresa ainda estão em curso.

O desastre de Chernobil foi deflagrado por uma sobrecarga de energia durante um teste de segurança, nas primeiras horas de 26 de abril de 1986. O acidente provocou uma explosão no Reator 4, que queimou as hastes de controle com pontas de grafite e liberou partículas radioativas na atmosfera. Os bombeiros tentaram apagar o fogo, mas o reator ardeu durante semanas antes de, finalmente, ser extinto. Alguns bombeiros morreram logo depois, pelo efeito da radioatividade, enquanto outros adoeceram. A cidade mais próxima, Pripyat, foi evacuada, transformando-se, até hoje, em uma cidade fantasma. A precipitação radioativa foi levada pelo vento e detectada na Suécia, obrigando o líder soviético Mikhail Gorbachev a anunciar o desastre ao mundo.

As repúblicas soviéticas da Ucrânia e da Belarus foram severamente afetadas. Os governos dos países europeus que se encontravam na rota da precipitação radioativa ordenaram que as plantações e os animais de criação em terrenos mais elevados fossem sacrificados, de modo a prevenir a contaminação de produtos destinados à alimentação humana.

A indústria nuclear soviética foi colocada sob inspeção internacional. O incidente contribuiu para maior abertura da URSS, pavimentando o caminho para a *glasnost* e as reformas que acarretariam sua futura desintegração (págs. 158-9).

Guerra às Drogas

Em suas Guerras do Ópio contra a China, em meados do século 19 (pág. 22), os britânicos obtiveram êxito em proteger seu lucrativo comércio de drogas, mas as campanhas contra o uso recreativo de drogas no século 20 levaram à proibição em muitos países, a partir da década de 1960.

A "Guerra às Drogas", termo adotado pelo Presidente Nixon em 1971, foi a resposta dos Estados Unidos ao crescente problema do abuso de drogas no mundo inteiro, que financiava um comércio ilegal — heroína ou ópio, do Afeganistão, e cocaína, do Peru e da Colômbia — no valor de bilhões de dólares por ano.

Na verdade, a "guerra" não passou de uma série de campanhas punitivas, no país e no exterior, contra o consumo, a posse e o tráfico de drogas ilícitas. Durante a década de 1980, a era Reagan-Bush, essa guerra tornou-se uma campanha militarizada contra gangues de rua. Em 1988, a custosa Operação Martelo, iniciada quando uma jovem chamada Karen Toshima foi morta em um tiroteio entre gangues, resultou na prisão de cerca de 50 mil pessoas até 1990. Em 1995, a guerra às drogas culminou com a criminalização de uma grande proporção de afro-americanos em comunidades que já sofriam com problemas socioeconômicos, como pobreza e violência racial.

Em 2009, o governo Barack Obama abandonou a expressão Guerra às Drogas, classificada como contraproducente, e, em 2011, uma comissão sobre políticas antidrogas concluiu que a luta global contra as drogas havia fracassado. A legalização foi reivindicada por alguns grupos. Outros defenderam a chamada "tolerância zero", citando a Suécia, onde o uso de cocaína corresponde a um quinto do consumo na Espanha, país em que o uso privado de drogas foi descriminalizado. A abordagem sueca tem preocupações com a saúde pública e envolve duras punições. Mas alguns estudos têm demonstrado que fatores culturais e econômicos são decisivos para a prevalência das drogas, e não a severidade das penas. Prossegue a luta pela criação de uma política unificada para a convivência com as drogas.

A Sinistra Reviravolta do Terrorismo

Em 2005, a Assembleia Geral das Nações Unidas descreveu o terrorismo como atos criminosos planejados ou calculados para provocar, com finalidades políticas, um estado de terror na população em geral, em um grupo de pessoas ou em determinada população. Acrescentou que tais atos não são justificáveis, independentemente das considerações ideológicas, religiosas, raciais ou quaisquer outras que existam.

CAPÍTULO OITO: MERGULHANDO NA CRISE

Muitos argumentariam que tal definição deveria ser aplicada também a atos praticados por Estados. Outra ambiguidade é que alguém que seja um terrorista, na opinião de uma pessoa, pode ser um combatente pela liberdade, na opinião de outra.

Nelson Mandela, eleito o primeiro presidente negro da África do Sul em 1994, e que em 1993 obteve o Prêmio Nobel da Paz, foi anteriormente rotulado como terrorista, assim como o primeiro--ministro israelense Menachem Begin e dois graduados políticos irlandeses, Gerry Adams e Martin McGuinness. Che Guevara, o revolucionário argentino que se tornou herói para muitos esquerdistas, era considerado um terrorista assassino pelos direitistas.

Os terroristas do século 20 eram movidos por diversas razões. Alguns se moldavam às divisões da Guerra Fria (pág. 142); outros eram nacionalistas separatistas; e alguns provocavam o terror por motivos religiosos. No início do século, boa parte dos atos terroristas eram assassinatos de pessoas proeminentes, como o ataque de um grupo nacionalista sérvio ao arquiduque Franz Ferdinand, da Áustria, em 1914, que precipitou a Primeira Guerra Mundial (págs. 36-7). Ao longo do tempo, tornou-se mais usual que a violência fosse dirigida a pessoas comuns, quer civis escolhidos ao acaso, quer militares que simbolizassem um governo.

Na década de 1960, a contracultura encorajou o aparecimento de grupos esquerdistas anticapitalistas, como o grupo Baader-Meinhof (Facção do Exército Vermelho), na Alemanha Ocidental. Liderado por Andreas Baader e Ulrike Meinhof, o grupo explodiu bombas em lojas, postos policiais e bases americanas na Alemanha, matou um refém e tentou tomar a embaixada alemã na Suécia. Os ataques culminaram em 1977, com o "Outono Alemão". Mas, após um sequestro fracassado, os líderes sobreviventes cometeram suicídio.

De 1968 a 1978, em uma década de terror, o Baader-Meinhof inspirou outros terroristas ao redor do mundo. Reunidos em campos de refugiados após a criação do Estado de Israel em 1948 (págs. 137-9), muitos árabes palestinos efetivaram atos de terrorismo contra o jovem país e seus defensores no mundo ocidental. Nas Olimpíadas de Munique, em 1972, o grupo Setembro Negro levou a cabo uma das piores atrocidades terroristas, matando dois atletas israelenses e tomando nove como reféns. Os reféns, e mais cinco terroristas e dois policiais alemães, acabaram sendo mortos numa canhestra tentativa de resgate.

Em um mundo midiático e globalizado, atos terroristas eram sempre manchetes, proporcionando aos ativistas toda a atenção de que precisavam para suas causas. Os ataques palestinos influenciaram revolucionários do mundo inteiro, como os integrantes do Exército Vermelho Japonês, que, em 1972, mataram 26 pessoas num ataque realizado no aeroporto de Lod, em Israel.

Luta Separatista ou Luta Religiosa?

Alguns grupos separatistas (étnicos ou religiosos que pretendem separar-se de um grupo maior ou mais poderoso) cometeram atos de violência, na tentativa de forçar os ocupantes a deixarem suas terras. Entre eles, a Irmandade Muçulmana, que se opôs à ocupação britânica no Egito na década de 1930; o Irgun, grupo judeu, que, de 1936 a 1939, lutou contra a administração britânica da Palestina; os separatistas bascos (ETA); a Frente de Libertação do Quebec (FLQ), no Canadá; e os ataques chechenos desferidos contra alvos russos em 1994 e 1999. Com as rivalidades da Guerra Fria que surgiram após a Segunda Guerra Mundial, nem sempre os grupos terroristas eram armados por contrabandistas, e sim, secretamente, por países interessados em atingir seus próprios objetivos.

Embora o conflito entre árabes e palestinos continuasse a ser uma das principais causas de atos terroristas, grupos radicais árabes, na década de 1980, começaram a explodir bombas por motivos mais amplos. O atentado de Lockerbie, em dezembro de 1988, quando uma bomba no voo 103 da Pan Am explodiu sobre a cidade de Lockerbie, na Escócia, matando 270 pessoas, talvez tenha ocorrido, em parte, devido a um sentimento de vingança do Coronel Gaddafi,

CAPÍTULO OITO: MERGULHANDO NA CRISE

da Líbia, contra ações dos EUA para atingi-lo. E o primeiro atentado ao World Trade Center, em 1993, quando um carro-bomba explodiu na garagem subterrânea da Torre Norte, foi levado a efeito por fundamentalistas islâmicos movidos por ódio aos Estados Unidos. Ódio que culminaria no atentado de 11 de setembro de 2001, quando membros da Al-Qaeda sequestraram aviões e os colidiram com o World Trade Center e o Pentágono, matando cerca de 3 mil pessoas. A resposta dos Estados Unidos foi declarar a Guerra ao Terror e liderar as invasões do Afeganistão e do Iraque, além de efetuar operações no Paquistão e outros países.

Os Estados Unidos também tiveram de lidar com o terrorismo doméstico, quando, em 1995, Timothy McVeigh, um americano de extrema-direita que alimentava ressentimentos contra o governo de seu próprio país, estacionou um caminhão-bomba e explodiu um edifício federal em Oklahoma City, matando 168 pessoas.

DOMINGO SANGRENTO

O terrorismo na Irlanda do Norte teve tanto motivações religiosas como nacionalistas: o Exército Republicano Irlandês (IRA) se opunha ao governo britânico na Irlanda do Norte; sendo um grupo de católicos romanos, sempre escolhia alvos protestantes.

Quando o Estado Livre Irlandês finalmente obteve a independência do Reino Unido, em 1922 (vindo a se tornar uma república em 1948), a região norte da ilha permaneceu na União. A maior parte dos habitantes da Irlanda do Norte era protestante e predominantemente legalista (leal à Grã-Bretanha), enquanto uma minoria de nacionalistas republicanos, quase exclusivamente católica, desejava tornar-se parte da República da Irlanda, ao sul. Uma data-chave no "Problema", nome dado pelos ingleses ao conflito que duraria 30 anos e resultaria na morte de 3.600 pessoas, é 30 de janeiro de 1972, dia que se tornou conhecido como Domingo Sangrento. Foi quando o exército britânico disparou contra manifestantes que reivindicavam direitos civis em Londonderry, matando 13 homens; outro homem morreu mais tarde, devido aos ferimentos. Embora o exército tenha alegado que seus soldados haviam sido alvejados, os manifestantes, desarmados, viram o fato como homicídios patrocinados pelo Estado.

A partir de então, o IRA voltou-se cada vez mais a táticas terroristas. Em 1979, plantou uma bomba em um barco pertencente a Lorde Mountbatten, primo da Rainha, cuja explosão o matou, juntamente com seu neto de 14 anos e um ajudante de 15 anos. Em outras ações, o IRA explodiu alvos militares e civis na Grã-Bretanha e planejou um ataque a Gibraltar.

O Acordo da Sexta-Feira Santa, assinado em 1998, finalmente trouxe uma solução política mediante uma divisão de poderes.

Em 2010, um inquérito determinou que o exército britânico tivera culpa nas mortes do Domingo Sangrento, pois os soldados abriram fogo sobre civis desarmados sem terem sido provocados.

Embora o século tenha terminado com uma nova e globalizada forma de terrorismo — o terrorismo islâmico —, também ficou evidente que mesmo conflitos de longa duração, como o da Irlanda do Norte, podem ser resolvidos pacificamente.

Capítulo Nove

O Mundo no Ano 2000

O século 20 se encerrou com uma população de 6,1 bilhões e um temor milenar, dentre outros, de que o fim do mundo estivesse próximo. O "bug do milênio", uma preocupação de que os softwares de computadores não se adaptariam às datas do novo milênio, revelou-se uma história de terror injustificada.

A tecnologia nos levou até a Lua e, no final do século, nos proporcionou computadores pessoais com mais potência do que a NASA dispôs para organizar as primeiras aterrissagens na Lua. Avanços científicos, médicos e tecnológicos revolucionaram a vida; a rede mundial de computadores e os telefones celulares transformaram o modo de nos comunicarmos, permitindo que as informações se propagassem rapidamente em uma rede cultural global. Foi o século americano, não só porque os Estados Unidos o dominaram política e economicamente, mas também porque a cultura americana permeou quase todas as nações do mundo.

Ao final do século, muitos países seguiam o livre-comércio pregado pelos EUA, melhorando o padrão de vida dos consumidores e possibilitando acesso a mais bens e serviços, a preços menores. Entretanto, o livre-comércio não se firmou sem riscos: a crescente competição entre nações foi vista como uma fonte de conflitos em potencial. Países ou mesmo blocos de países poderiam impor barreiras alfandegárias (protecionismo), iniciando guerras comerciais em escala global; ou proteger da competição suas indústrias domésticas, medida que remonta às Leis dos Grãos no século 19.

VIVENDO MAIS E MELHOR

A medicina amadureceu. Nos países desenvolvidos, muitas doenças já podiam ser evitadas, e doenças anteriormente mortais podiam ser tratadas. Além disso, uma boa dieta, práticas modernas de higiene e consultas médicas rotineiras proporcionaram às pessoas uma vida mais longa e melhor. A expectativa de vida no início do século era, na Europa, de apenas de 47 anos; em 2001, subiu para 76,8. Na África, a expectativa de vida era de 50,5 em 2001, um claro progresso diante dos 35,6 de 1950, mas ainda bem atrás da Europa.

Seguindo-se à descoberta do formato em dupla hélice do material genético básico do DNA (ácido desoxirribonucleico) em 1953, terapias genéticas foram introduzidas, e a base genética de algumas doenças pôde ser alterada. A AIDS, doença recém-surgida, por exemplo, foi identificada em 1981, e o vírus que a causava (HIV) foi identificado em 1983. O melhor tratamento contra o HIV até agora é uma droga que afeta geneticamente o vírus, modificando sua capacidade de reprodução.

Reproduzir a vida em laboratório saiu das páginas do romance *Frankenstein* para a realidade, na década de 1970, quando as experiências de Paul Berg com a divisão de genes permitiu transferências de material genético. Durante a década de 1980, foi criada uma bactéria que podia colaborar com a limpeza de derramamentos de petróleo. E, em 1994, lavouras geneticamente modificadas foram apresentadas a consumidores céticos. Mas caíram nas graças da agroindústria, de modo que milho e soja geneticamente modificados, os transgênicos, se tornaram lugar-comum.

Na década de 1980, foram criadas técnicas para sintetizar tecidos biológicos em laboratório. Hoje, alguns desses tecidos artificiais são usados em transplantes de diversas partes do corpo, sem perigo de rejeição, e auxiliam as pesquisas sobre novas drogas.

CAPÍTULO NOVE: O MUNDO NO ANO 2000   183

Embora grandes desafios ainda subsistam, como micróbios que se tornaram resistentes aos antibióticos, os enormes avanços na assistência médica levaram o cientista americano Carl Sagan a afirmar: "Os avanços na medicina... têm salvado mais vidas do que as que foram perdidas em todas as guerras da história."

LANÇANDO A REDE

A ideia de conectar computadores e formar uma rede surgiu de diversas fontes na década de 1960. Os desenvolvedores de software pretendiam aumentar a potência dos computadores; os militares americanos desejavam uma rede de comunicações que pudesse ser utilizada em uma guerra nuclear, no caso de um centro de comando ser inutilizado; e os cientistas estavam interessados em compartilhar ideias.

Programadores da Grã-Bretanha, França e Estados Unidos elaboraram, então, o conceito de um sistema descentralizado, em que todos os computadores ligados a uma rede teriam igual importância. Pequenos sistemas, embrionários, foram desenvolvidos na década de 1970. Esses sistemas transferiam as informações em "pacotes", por meio de conexões telefônicas lentas. Entre eles: o CYCLADES, da França; uma rede acadêmica de pesquisas chamada JANET, desenvolvida principalmente por serviços postais americanos e britânicos; e o grande e influente ARPANET, patrocinado pelo ministério da defesa dos EUA. A primeira conexão da ARPANET foi feita em 1969, entre dois computadores. Em 1972, tínhamos 37 computadores ligados ao sistema. E, em 1981, já existiam 213 *nodes*, ou diferentes pontos de acesso.

A internet propriamente dita começou a funcionar, quando diferentes redes adotaram sistemas comuns para a transmissão de seus pacotes de informação (ou TCP, sigla em inglês universalmente usada para Protocolo de Controle de Transmissão) e para a organização dos endereços das máquinas participantes (IP, sigla inglesa de uso universal para Protocolo da Internet), permitindo que as redes fossem conectadas.

TECENDO A REDE

Em 1989, o cientista da computação inglês Tim Berners-Lee propôs a criação de uma Rede Mundial de Computadores. Percebendo que a internet permitiria a troca de informações entre todos os computadores ligados à rede — não apenas de máquina para máquina —, ele criou sistemas nos quais os documentos existentes na rede poderiam ser vinculados a outros documentos, formando, assim, uma teia de informações compartilhadas, disponível a qualquer pessoa que estivesse conectada.

Berners-Lee inventou três tecnologias: a HTML (sigla em inglês universalmente adotada para Linguagem de Marcação para Hipertexto), que formatava as informações para a internet; o URL (sigla em inglês universalmente adotada para Localizador Uniforme de Recursos), um endereço único para as páginas da internet; e o HTTP (sigla em inglês universalmente adotada para Protocolo de Transferência de Hipertexto), a linguagem de computador que permite que os recursos da internet sejam transmitidos e acessados. O professor do MIT também escreveu o primeiro editor de página, assim como programas para servidores. Em 1990, a primeira página da rede foi carregada.

Berners-Lee, que também é físico, queria que os dados da internet estivessem disponíveis a todos nós como informações compartilhadas; portanto, não patenteou sua invenção e fez campanha para que os códigos e dados subjacentes da rede fossem acessíveis a qualquer um. "Não se pode propor algo que seja um espaço universal e, ao mesmo tempo, mantê-lo sob controle", escreveu.

Talvez ele até não se considerasse um revolucionário, mas, com a rede mundial de computadores, Berners-Lee, na verdade, revolucionou o fluxo de informações e comunicações e o acesso a elas.

Recentemente, Tim Berners-Lee foi considerado um dos maiores gênios vivos do mundo.

CAPÍTULO NOVE: O MUNDO NO ANO 2000

Remodelando o Mundo

A rede mundial de computadores possibilitou uma rápida e fácil comunicação de ideias através das fronteiras, provendo uma voz aos indivíduos e tornando possível a existência dos sites de negócios: as compras on-line foram uma das primeiras atividades a decolar na rede.

Nem todas as mudanças foram bem-vindas. Gigantes da internet começaram a destruir as pequenas lojas de rua em segmentos como venda de livros, oferecendo descontos e escolhas que os pequenos varejistas não poderiam igualar.

À medida que os equipamentos de telecomunicação ficaram mais rápidos, tornou-se possível carregar produtos audiovisuais tão bem quanto textos. Tradicionais produtoras e distribuidoras de entretenimento se remodelaram para distribuir seus filmes pela internet, e as editoras de material impresso, de jornais a livros, tiveram de se adaptar à nova tecnologia, oferecendo conteúdo on-line em novos formatos, como o e-book. No final da década de 1990, o fenômeno dos blogs tomou forma, permitindo que indivíduos alcançassem audiências enormes sem a utilização da mídia tradicional.

O milagre da miniaturização prosseguiu. Os primeiros laptops, leves o bastante para serem carregados à vontade, surgiram na década de 1980. Na década de 1990, os preços começaram a cair. Computadores mais baratos levaram a internet a áreas rurais de países em desenvolvimento: em 2003, computadores alimentados a pedaladas de bicicleta foram ligados a redes sem fio em lugares remotos da Ásia e da África. As novas tecnologias propagaram o conhecimento ao redor do mundo, transformando o ensino a distância e levando as ideias de liberdade e democracia até o interior de países totalitários. A censura à internet foi implantada na China em 1998; na Coreia do Norte, uma internet própria controla estritamente o acesso à informação: somente um punhado de professores ou funcionários do governo têm permissão para acessar a rede mundial de computadores.

Em 1994, surgiu o primeiro smartphone, que oferecia acesso à internet através de telefones celulares. Com câmeras anexadas aos telefones e notebooks, o palco estava montado para a disseminação da cultura popular no final do século, assim como a integração social através de sites como o Facebook e o YouTube, lançados em 2004 e 2005.

Nos últimos anos do século 20, com a revolução nas comunicações e na internet, a globalização aumentou exponencialmente. Empresas, organizações internacionais e governos, por meio de computadores e redes mundiais de comunicação, podiam receber rapidamente uma grande quantidade de informações e compartilhá-las com um número cada vez maior de dirigentes. A aceleração e a intensidade das interações mudaram para sempre o modo como as pessoas, organizações e governos lidam uns com os outros.

Sujos e Nocivos

Todas as nações industrializadas do século 20 precisavam de fontes de energia. Em 1990, a Europa já consumia 15 milhões de barris de petróleo por dia. Os Estados Unidos, sozinhos, consumiam ainda mais: 17 milhões de barris por dia. Desse total, talvez três quartos eram usados como combustíveis: gasolina, diesel e querosene. No ano 2000, já havia 500 milhões de automóveis no mundo.

Os choques do petróleo da década de 1970 (pág. 99) forçaram os países do Ocidente a reduzir a dependência do petróleo produzido no Oriente Médio. Países do norte da Europa descobriram reservas no Mar do Norte, enquanto os Estados Unidos começavam a desenvolver, a sério, a tecnologia de fraturamento hidráulico de xisto betuminoso, que se tornaria generalizada e controversa no século seguinte. O gás natural começou a fluir de novos campos no Oriente Médio. A dependência de combustíveis fósseis se tornou, novamente, um problema com o choque do petróleo de 1990, quando os preços se elevaram durante a Primeira Guerra do Golfo, encorajando grandes empresas a desenvolverem fontes alternativas de energia.

CAPÍTULO NOVE: O MUNDO NO ANO 2000

Além das questões econômicas, surgiu outro problema relacionado ao uso de petróleo, gás natural e carvão: esses combustíveis produzem um "efeito estufa" na atmosfera, o que contribui, segundo a maioria dos estudiosos, para o aquecimento global e as mudanças climáticas. Desde a década de 1850 e a Revolução Industrial, queimamos carvão em fábricas e usinas de energia. Um subproduto da queima é o dióxido de carbono (CO_2), também conhecido como gás carbônico, além de outros tipos de gases-estufa. Segundo cientistas contemporâneos, esses gases acumulam-se na atmosfera como uma espécie de cobertor térmico, absorvendo o calor irradiado da Terra e o enviando de volta, aquecendo, assim, o planeta. Como as plantas absorvem gás carbônico, o desmatamento, principalmente nas florestas pluviais da Amazônia, também contribui para o efeito estufa.

Na década de 1960, foi sugerido que a terra estava se tornando mais quente devido às atividades humanas. Cientistas alegavam que as provas eram as temperaturas em elevação, o encolhimento das geleiras e dos bancos de gelo marítimo, o aquecimento dos oceanos, o aumento dos níveis dos mares e as extremas variações climáticas — tudo isso verificado na segunda metade do século. No ano 2000, a Terra estava cerca de 0,7ºC mais quente do que em 1900. O Painel Intergovernamental sobre Mudanças Climáticas (IPCC, na sigla em inglês universalmente aceita) previu para o ano de 2100 uma elevação de temperatura entre 2ºC e 3,5ºC. Cientistas têm alertado que o aquecimento global pode provocar inundações em áreas mais baixas, além de sérios problemas na África subsaariana e outras regiões pobres, com recursos escassos para se adaptar às mudanças climáticas.

LIMPANDO A ÁREA

Em 1985, a *Rainbow Warrior* (Guerreiro do Arco-Íris), nau capitânia do grupo ambientalista Greenpeace, foi afundada na Nova Zelândia por agentes secretos franceses, antes que pudesse zarpar para protestar contra os testes nucleares da França no oceano

Pacífico. Um integrante do Greenpeace morreu. Foi o pior incidente nas relações entre ambientalistas e governos, e exemplifica como muitos países não reconhecem os problemas ambientais.

Com a lentidão, proposital ou não, dos governantes para entrar em ação, empresas de energia e transportes negavam que houvesse algum problema climático ou que a industrialização fosse a causa; mas, em 1995, o IPCC informou: "A comparação de dados sugere evidente influência humana no clima global."

No início, parecia que a única forma de se evitarem desastres ecológicos era draconiana: interromper as atividades que emitissem gases-estufa. Mas poucas pessoas no mundo ocidental estavam dispostas a abrir mão de seus carros, de suas férias em lugares distantes ou do consumo de eletricidade. E quase ninguém nos países em desenvolvimento abriria mão do desejo de possuir qualquer dessas coisas.

Felizmente, a tecnologia parecia oferecer uma solução. Embora os ambientalistas estivessem clamando por fontes de energia renováveis e sustentáveis havia décadas, o verdadeiro impulso para o desenvolvimento de painéis solares (amplamente disponíveis desde os anos 1970) e estações eólicas (a primeira delas foi construída nos Estados Unidos em 1980) foi a necessidade de se encontrarem alternativas para o petróleo. O primeiro automóvel elétrico foi lançado em 1990. Além disso, embora controversa, a energia nuclear também foi proposta como alternativa aos combustíveis fósseis.

Tecnologias ainda em desenvolvimento incluem o hidrogênio como combustível, combustíveis sintéticos e modos de se retirar CO_2 da atmosfera, assim como o aperfeiçoamento na extração de petróleo e gás natural para que os estoques durem mais.

DE PARIS PARA O FUTURO

Em 1992, a primeira Conferência das Nações Unidas sobre o Meio Ambiente e o Desenvolvimento, mais conhecida em português como ECO-92, foi realizada no Rio de Janeiro. Outro encontro realizado em 1997, na cidade de Kyoto, no Japão, produziu o Protocolo de

CAPÍTULO NOVE: O MUNDO NO ANO 2000

Kyoto, que estabeleceu limites para a quantidade de gases-estufa que cada país signatário poderia produzir. Entretanto, como reduzir as emissões de CO_2 seria algo muito dispendioso, os Estados Unidos, o maior emissor mundial de gases-estufa, na época, se recusaram a assinar o documento.

Contudo, em 2015, os Estados Unidos e a China, os maiores poluidores, aceitaram o Acordo de Paris para limitar o aquecimento global, que propôs a emissão zero de gases-estufa até o final do século 21.*

GLOBALIZAÇÃO DO COMÉRCIO

Embora o colonialismo praticado na primeira metade do século tenha estabelecido um sistema de comércio global, este era baseado na acumulação de riquezas mediante um balanço de pagamentos positivo (mais exportações que importações). O sistema de livre-comércio (fronteiras abertas para mercadorias, sem taxas de importação e outras barreiras), promovido pela Organização Mundial do Comércio (OMC) (págs. 96-7), incrementou significativamente o comércio internacional e era adotado, em grande parte do mundo, ao final do século.

No ano 2000, acordos comerciais entre pares de países estavam sendo estendidos a grupos maiores. Na América do Norte, em 1994, um acordo comercial entre o Canadá e os EUA evoluiu para se tornar o Tratado Norte-Americano de Livre-Comércio (NAFTA, na sigla em inglês mundialmente aceita) entre esses dois países e o México. No mesmo ano, 34 países das Américas do Norte, Central, do Sul e do Caribe, à exceção de Cuba, propuseram a criação de um grupo mais amplo, a Área de Livre-Comércio das Américas (ALCA), cujas negociações ainda estão em andamento.

---

* Em 1º de junho de 2017, os EUA anunciaram que deixariam o acordo. (N.T.)

Outras áreas de comércio regional incluem a Organização da Unidade Africana, estabelecida em 1963, em parte, para se opor ao colonialismo, tendo sido substituída pela União Africana em 2002; a Associação de Nações do Sudeste Asiático (ASEAN, na sigla em inglês mundialmente aceita), estabelecida em 1967; e a Cooperação Econômica Ásia-Pacífico (APEC, idem), em 1989, para os países da orla do oceano Pacífico.

FRONTEIRAS PARA PESSOAS

Outra tendência do século 20 foi a abertura das fronteiras para pessoas que vivessem no mesmo grupo de nações; por exemplo, entre os membros da União Europeia (UE) ou entre os cidadãos da Nova Zelândia e da Austrália. A abertura das fronteiras ensejou fluxos de mão de obra e, no ano 2000, muitas pessoas ganhavam a vida em lugares distantes de seus países de origem, o que se tornou possível graças aos modernos meios de transporte e comunicação.

No entanto, a imigração ilegal também foi uma característica marcante do século, principalmente da África para a Europa, da América do Sul e Central para os Estados Unidos, e da Ásia para a Austrália. Entre os imigrantes ilegais estavam os que fugiam de guerras e da fome, e os que procuravam emprego e uma vida melhor.

A imigração se tornaria um dos maiores tópicos de discussão no século 21, quando os conflitos na África e no Oriente Médio provocaram a fuga de milhões de pessoas para a Europa, numa crise jamais vista desde as migrações em massa pós-Segunda Guerra Mundial.

DESLOCAMENTOS DE PODER

No início do século 20, países europeus dirigidos por elites aristocráticas constituíam uma força dominante, mas ao longo do século a posição da Europa foi declinando. Após a Segunda Guerra Mundial, os Estados Unidos, democraticamente governados, tornaram-se a primeira superpotência mundial, logo seguidos pela URSS. Ao final

CAPÍTULO NOVE: O MUNDO NO ANO 2000

do século, a China despontou como um gigante econômico, com influência no cenário mundial. O equilíbrio de poder mudou e ainda continua mudando.

Outra mudança ao longo do século 20 envolveu a formação de grupos supranacionais, baseada mais em similaridades econômicas propriamente ditas do que nos círculos dinásticos que caracterizaram os tratados anteriores — a mudança de um mundo de estados-nações desiguais para uma rede de federações e alianças políticas, sociais e econômicas. Esses agrupamentos, que transcendem as fronteiras nacionais, podem mostrar-se mais permanentes; no final do século, porém, já começavam a surgir diferenças internas que poderão corroer a coesão internacional. O número de imigrantes que tentavam entrar em países da União Europeia, por exemplo, estava colocando em risco o Acordo de Schengen, que aboliu os postos de controle nas fronteiras entre alguns dos países da UE.

SAI O VELHO... ENTRA O NOVO

O colonialismo floresceu no século 20, e definhou quando a maioria das grandes potências coloniais reconheceu que suas colônias tinham direito à independência e à autodeterminação.

O grande experimento ideológico que foi o comunismo medrou e morreu na Rússia e na Europa Oriental. Enquanto o comunismo desmoronava na União Soviética, alguns homens de negócios na nova Federação Russa abraçavam o capitalismo com tanto entusiasmo que se tornaram os novos oligarcas, bilionários das novas indústrias privatizadas da Rússia. Alguns antigos Estados soviéticos foram assimilados pela União Europeia; outros, como a Chechênia, vivenciaram violentos conflitos étnicos.

No final do século, o comunismo começou a evoluir para algo novo na China, à medida que o país tentava se adaptar ao agora dominante sistema econômico capitalista.

Desigualdade e Direitos

O comunismo floresceu quando as massas, vivendo em extrema pobreza, reagiram a uma distribuição desigual de riquezas. Embora a pobreza extrema tenha diminuído muito no mundo desenvolvido ao longo do século 20, a desigualdade econômica em países como o Reino Unido começou a aumentar novamente nas últimas décadas do século. Nos países em desenvolvimento, a pobreza e a riqueza extremas perduraram, com 20% da população mundial ainda vivendo sem eletricidade. E, embora as tecnologias médicas tenham ajudado a prolongar a vida das pessoas nos países ricos, cerca de 23 milhões de africanos sem acesso a tratamentos de saúde, no início do século 21, estavam condenados a morrer de AIDS. Na década de 1990, em torno de 6 milhões de pessoas morriam de inanição anualmente, mas, no início do século atual, 650 milhões ainda não dispõem de água potável.

O conceito de direitos humanos, que evoluiu durante o século no mundo desenvolvido, serviu para proteger por lei crianças, mulheres e minorias, enquanto criminosos de guerra eram processados por tribunais internacionais. Dois dos aspectos mais positivos da globalização foram a fundação das Nações Unidas, para incrementar a cooperação internacional, e a rápida resposta de agências de assistência humanitária, financiadas por governos e doações de indivíduos, a desastres e violações de direitos humanos em todas as partes do mundo.

Palavra Final

De muitas formas, o século 20 foi um século de guerras. Dois devastadores conflitos mundiais, incluindo o Holocausto, foram seguidos por sangrentas guerras civis, ações militares localizadas e genocídios na Iugoslávia e em Ruanda, para citar apenas dois. Muitas das guerras refletiram dois dos assuntos inquietantes do século: o nacionalismo militante e o aumento do terrorismo.

À medida que o século 21 começou a se desenrolar, a sensação de otimismo e confiança que estava presente no início do século tornou-se menos evidente. Novos problemas surgiram. Muitas pessoas temiam

CAPÍTULO NOVE: O MUNDO NO ANO 2000

que o petróleo — que desempenhou papel crucial nos assuntos econômicos, já que movia a maior parte do mundo desenvolvido — estivesse escasseando, enquanto a energia nuclear foi alvo de controvérsias desde o desastre de Chernobil. Muitos cientistas acreditavam (e ainda acreditam) que o aquecimento global acarretaria mudanças climáticas. O terrorismo teria um desdobramento particularmente horrendo em 2001, com o 11 de Setembro nos Estados Unidos, que levou o Presidente George W. Bush a declarar a Guerra ao Terror. O nacionalismo continuaria a provocar conflitos, como na Ucrânia, por exemplo. Até mesmo a Primavera Árabe — movimento inspirado por ideais de democracia e mudanças positivas — ensejaria desastrosas guerras civis na Líbia e na Síria. Houve também sinistros vaticínios de hostilidades econômicas entre os Estados Unidos e a China, além da Índia e outras nações emergentes.

O século 20 trouxe segurança e democracia para muitas pessoas, e, em alguns países, um padrão de vida que sequer poderia ser sonhado por nossos ancestrais do século 19. A internet contribuiu para propagar ideias, educação, notícias e cultura, enquanto a explosão das mídias sociais, que ainda engatinhavam no final do século, transformaria, no atual, o modo como as pessoas comuns interagem umas com as outras aquém e além das fronteiras nacionais. Novas redes globais se tornaram disponíveis a terroristas e outros indivíduos com interesses malignos (pedofilia, por exemplo), mas também contribuíram para a paz, o progresso e a promessa de um futuro melhor para o mundo inteiro.

BIBLIOGRAFIA

Alexievich, Svetlana, *Chernobyl Prayer*, Penguin, 2016.

Bainton, Roy, *A Brief History of 1917: Russia's Year of Revolution*, Robinson, 2005.

Chalton, Nicola e Meredith MacArdle, *A história da ciência para quem tem pressa*, Rio de Janeiro: Valentina, 2017.

Davies, Norman, *Europe: A History*, Oxford University Press, 1996.

Duffy, N. M., *The 20th Century*, Blackwell, 1974.

Evans, A. A. e David Gibbons, *The Compact Timeline of World War II*, Worth Press, 2008.

Ferguson, Niall, *Empire: How Britain Made the Modern World*, Penguin, 2004.

Figes, Orlando, *A People's Tragedy: The Russian Revolution 1891-1924*, Londres: Jonathan Cape, 1996.

Howard, Michael e Wm. Roger Louis (Eds.), *The Oxford History of the Twentieth Century*, Oxford University Press, 1998.

Howe, Stephen, *Empire: A Very Short Introduction*, Oxford University Press, 2002.

Kershaw, Ian, *To Hell and Back: Europe 1914-1949*, Penguin, 2016.

Lowe, Norman, *Mastering Modern World History*, Palgrave Macmillan, 2013.

MacArdle, Meredith, *The Timeline History of China*, Worth Press, 2007.

MacArdle, Meredith, Nicola Chalton e Pascal Thivillon, *The Time-chart History of Revolutions*, Worth Press, 2007.

Marr, Andrew, *A History of the World*, Macmillan, 2012.

Massie, Robert K., *Dreadnought: Britain, Germany and the Coming of the Great War*, Vintage, 2007.

National Geographic Eyewitness to the 20th Century, National Geographic Society, 1998.

Nicolson, Colin, *Longman Companion to the First World War: Europe 1914-1918*, Routledge, 2001.

Overy, Richard, *Collins Atlas of 20th Century History*, Collins, 2005.

_____. *20th Century*, Dorling Kindersley, 2012.

_____. *The Dictators: Hitler's Germany, Stalin's Russia*, Penguin, 2005.

Pakenham, Thomas, *The Scramble for Africa*, Londres: Abacus, 1992.

Taylor, A. J. P., *The Struggle For Mastery in Europe 1848- 1918*, Oxford University Press, 2001.

Tuchman, Barbara, *The Guns of August*, Penguin, 2014.

_____. *The Proud Tower*, Macmillan, 1980.

A HISTÓRIA DO MUNDO
PARA QUEM TEM PRESSA

MAIS DE 5 MIL ANOS DE HISTÓRIA RESUMIDOS EM 200 PÁGINAS!

A HISTÓRIA DO BRASIL
PARA QUEM TEM PRESSA

DOS BASTIDORES DO DESCOBRIMENTO À CRISE DE 2015 EM 200 PÁGINAS!

A HISTÓRIA DA MITOLOGIA PARA QUEM TEM PRESSA

DO OLHO DE HÓRUS AO MINOTAURO EM APENAS 200 PÁGINAS!

A HISTÓRIA DA CIÊNCIA PARA QUEM TEM PRESSA

DE GALILEU A STEPHEN HAWKING EM 200 PÁGINAS!

Papel: Offset 75g
Tipo: Adobe Caslon
www.editoravalentina.com.br